Stratégies
en recherche
d'emploi

Données de catalogage avant publication (Canada)

Dionne, Sylvie, 1959-

Stratégies en recherche d'emploi

(Collection Affaires)

ISBN 2-7640-0418-4

1. Recherche d'emploi. 2. Recherche d'emploi – Aspect psychologique.
I. Titre. II. Collection: Collection Affaires (Éditions Quebecor).

HF5382.7.D56 2000   650.14   C00-940212-8

LES ÉDITIONS QUEBECOR
7, chemin Bates
Outremont (Québec)
H2V 1A6
Tél.: (514) 270-1746

© 2000, Les Éditions Quebecor
Bibliothèque nationale du Québec
Bibliothèque nationale du Canada
ISBN: 2-7640-0418-4

Éditeur: Jacques Simard
Coordonnatrice à la production: Dianne Rioux
Conception de la page couverture: Bernard Langlois
Illustration de la page couverture: Hans Neleman / The Image Bank
Révision: Georges Aubin
Correction d'épreuves: Jocelyne Cormier

Nous reconnaissons l'aide financière du gouvernement par l'entremise du
Programme d'Aide au Développement de l'Industrie de l'Édition pour nos activités
d'édition.

Sylvie Dionne

Stratégies
en recherche
d'emploi

LES ÉDITIONS Quebecor

Avant-propos

La recherche d'un emploi est une activité qui fait partie de la vie professionnelle. Ça vient avec, comme on dit ! Que l'on arrive à cette étape pour la toute première fois de sa vie ou qu'il s'agisse de la cinquième, il semble chaque fois toujours aussi pénible de vivre cette expérience de façon constructive.

Nul besoin d'expliquer largement que la perception que nous avons d'une activité influence directement la façon dont nous dirigerons nos actions et les résultats qui en découleront.

Nous savons tous qu'une activité telle que la recherche d'un emploi requiert une attitude des plus positives, doublée d'une énergie optimale. Pourtant, ce sont davantage les sentiments de défaite, de manque de confiance en soi et de peurs multiples qui envahissent, *a priori*, les personnes qui visent à intégrer le marché du travail.

Pourquoi autant de sentiments paralysants face à la recherche d'un emploi ? Pourquoi avons-nous si peur quand vient le temps d'aborder cette activité ? Nous pouvons répondre à ces questions de plusieurs façons, en mettant en perspective certaines approches des sciences humaines. Ce n'est pourtant pas à partir de théories que j'y répondrai, mais plutôt à partir de mon expérience de la gestion de carrière. Tout ce que renferme cet ouvrage sera d'ailleurs teinté de mes années d'intervention et du résultat de plusieurs recherches et réflexions sur le travail et la vie professionnelle.

Les éléments majeurs et responsables à la fois de la perception négative cultivée à l'égard de l'activité de recherche d'emploi sont, d'une part, le langage véhiculé et, d'autre part, l'esprit dans lequel aborder cette activité. Combien de fois avons-nous entendu qu'il fallait se « vendre en entrevue », apprendre par cœur des réponses stéréotypées face aux questions des employeurs ou envoyer des centaines de C. V. partout, aveuglément ?

Il est impossible de ressentir de la confiance en soi ou de l'anticipation positive face à la recherche d'un emploi lorsqu'on adopte l'idée que nous sommes tous des produits à vendre, des machines à dire ce qu'il faut dire et des moules à faire ce qu'il faut faire. L'ère est venue de remettre l'activité de recherche d'emploi en question et de la situer par rapport au contexte économique des années 2000 afin de saisir toute l'importance d'entreprendre cette étape de notre vie avec discernement et « différence ».

La recherche d'emploi a longtemps été une activité de savoir-faire, pleine de techniques à mettre en pratique et où quiconque, à tour de rôle, se fait conseiller en recherche d'emploi, quelles que soient ses compétences véritables en la matière. Or le marché du travail s'est complexifié. Sans une information pertinente de ce qu'il devient et sans un projet significatif, nous sommes vite condamnés à répéter vainement les techniques d'hier, devenues désuètes dans une économie et un marché du travail en constante redéfinition.

Le terme « recherche d'emploi » fait lui-même figure de dépassement lorsqu'on sait que l'emploi salarié, tel qu'il a existé tout au long de l'ère industrielle, n'est plus qu'un souvenir, au même titre que la sécurité d'emploi. Rechercher un emploi, dans les années 2000, revient donc à dire que l'on cherche quelque chose qui est en pénurie.

Pour chercher, il faut d'abord trouver ! C'est en étant convaincu de cette idée que nous avons d'ailleurs mis au point une méthode entrepreneuriale d'insertion professionnelle MEIP[MC] qui fait de la « recherche d'un projet » le fer de lance d'une démarche d'insertion calquée à l'ère de projets et de créativité dans laquelle nous sommes invités à collaborer sur le marché du travail des années 2000.

Étant donné que le terme « recherche d'emploi » est profondément ancré dans le référentiel populaire, nous l'avons délibérément retenu comme titre à cet ouvrage, puisqu'il nous importait qu'une majorité de gens sachent à quoi cet ouvrage était dédié, sans toutefois mettre de côté la vision d'une réalité nouvelle qu'il souhaite véhiculer.

Les différentes parties de cet ouvrage font une place prépondérante à une nouvelle façon de voir, de faire et de penser la recherche d'emploi afin de rendre compte de l'esprit dans lequel aborder cette activité, sans perdre de vue l'importance du langage véhiculé, puisque nous savons que ces deux éléments sont majoritairement responsables de la perception que nous entretenons à l'égard de cette activité.

À la deuxième question lancée précédemment : Pourquoi avons-nous si peur quand vient le temps pour l'un d'entre nous d'aborder l'activité de recherche d'emploi ? En fait, ce n'est pas cette activité qui nous effraie véritablement. C'est de l'inconnu qu'il renferme. Et la seule façon de défier l'inconnu, c'est d'avoir un projet qui puisse avoir du sens à nos yeux !

Dans les années 2000, la recherche d'emploi axée sur le savoir-faire « comme tout le monde » cède la place au savoir être, à l'être en soi qui a besoin de se distinguer, de devenir une personne à part entière, une personne pleine de ses multiples particularités et richesses à offrir aux autres, aux entreprises, à la société tout entière.

Nous dépassons l'ère des techniques pour nous aventurer dans une ère pensante qui nous invite à faire des choix stratégiques, à la manière de ces milliers d'entrepreneurs qui veulent assurer leur place dans l'économie des marchés.

« Ce qu'on ne choisit pas nous est imposé », ai-je l'habitude de dire. Tel est contraire à l'esprit de la recherche d'emploi des années 2000 qui nécessite que nous faisions place à des choix judicieux, calqués sur ce que nous sommes vraiment et sur ce qu'est devenu le marché du travail.

Ce livre ne vise pas à couvrir l'activité de recherche d'emploi dans tous ses moindres aspects, mais à répondre à des questions incontournables qui nous sont maintes fois adressées par des jeunes qui aspirent à adopter les nouvelles règles du marché du travail ou par des adultes en réorientation de carrière.

Ces questions vous sont présentées à travers les vingt-six lettres de l'alphabet, dont chacune exploite à sa façon les sujets majeurs reliés à la recherche d'emploi ainsi que les préoccupations qui y sont associées.

Sans doute perdrons-nous en cours de route plusieurs détails reliés aux « comment faire » volontairement escamotés par endroits. Nous avons préféré les « pourquoi », jugés plus riches d'enseignements. Cet ouvrage vous invite donc soit à un parcours divergent, au gré de vos intérêts à l'égard d'un thème en particulier, soit à une démarche continue vous permettant de couvrir l'ensemble d'une approche entreprenante et mobilisante.

Ce livre s'adresse à vous, jeunes et futurs interprètes du monde du travail et à vous, adultes en transition. Les questions posées à chacun des chapitres sont les vôtres. Elles sont le fruit de vos préoccupations.

Puisque la recherche d'emploi des années 2000 est une aventure qui s'affirme autour d'un projet « porteur de sens », nous souhaitons que vous trouviez, en tout temps, celui qui ajoutera de la valeur à votre vie professionnelle et mettra à profit votre besoin d'entreprendre et de vous engager pleinement.

Attitude

L'attitude est
ce qui permet au voyageur que nous sommes
de vivre avec légèreté
ou densité.

?

Vous avancez que la recherche d'emploi des années 2000 est avant tout une question d'attitude. Laquelle faut-il avoir ?

Il ne s'agit pas d'acquérir ou de posséder une attitude en particulier. Lorsque je dis que la recherche d'emploi des années 2000 est une question d'attitude, c'est pour expliquer que la façon dont nous percevons cette activité influence directement notre façon de la « vivre ».

La recherche d'un emploi fait partie de ces expériences de la vie où l'attitude est déterminante. Ainsi, c'est l'attitude qui fera la différence entre deux personnes qui ont des services similaires à offrir. C'est elle qui nous fera traverser ou non les obstacles croisés au passage. C'est elle qui traduira un échec en apprentissage. C'est grâce à elle qu'une personne saura rebondir, s'adapter. En fait, c'est notre attitude qui donnera le ton à l'ensemble de notre vie professionnelle.

L'attitude est le résultat de notre perception des choses, de notre façon de voir le monde et d'en faire partie. Elle se construit tout au long d'une vie, peut rester relativement stable ou se transformer, dépendamment de l'importance que l'on accordera aux événements qui traverseront notre vie. L'attitude est structurée par notre personnalité, nos traits de caractère, nos expériences antérieures et la façon dont nous avons intégré ces expériences. C'est une sorte d'image qui en dit long. L'attitude d'une personne gouverne la réussite de sa vie personnelle et professionnelle. Elle régit même la qualité de ses relations avec les autres : *« As-tu vu son attitude ? »*, *« Non, mais, quelle attitude ! »*, *« Je n'aime pas cette attitude. »*

Le comportement que nous adoptons est engendré par notre attitude. C'est pourquoi j'explique que, si nous percevons l'activité de recherche d'emploi comme un mal nécessaire, il est fort à parier que cette étape de notre vie sera lourde à vivre. Les gestes que nous ferons nous sembleront dépourvus de sens, et chaque démarche deviendra un effort.

Au contraire, si nous percevons l'activité de recherche d'emploi comme étant l'occasion de mettre en route un projet qui nous tient à cœur, nos gestes deviendront engagés et nos choix, stratégiques.

Les employeuses et les employeurs s'entendent pour affirmer qu'à compétences égales, c'est l'attitude d'une personne qui fera la différence lors d'une entrevue. En effet, les acquis d'une personne sont divisés en trois dimensions : les connaissances, les compétences et les attitudes. Bien que ce soient les connaissances et les compétences qui couvrent la majeure partie de nos acquis, ce sont nos diverses attitudes qui, en tout temps, détermineront la valeur de nos autres acquis.

Ainsi, une personne qui possède de nombreuses compétences techniques en plus d'un diplôme fort réputé, mais qui affiche une attitude condescendante, fera face inévitablement à plusieurs obstacles dans son intégration au marché du travail.

Plusieurs personnes « ne se voient pas ». Elles vivent en conséquence certaines difficultés, le moment venu d'établir des relations interpersonnelles. La réaction de notre environnement est généralement le miroir de notre attitude.

Dans les entreprises des années 2000, les compétences interpersonnelles sont une priorité. Il est donc d'une très grande utilité de « *se regarder aller* », de questionner les personnes qui nous entourent sur la façon dont elles nous perçoivent et de se poser régulièrement une simple petite question qui sait nous remettre en piste, au besoin : « *Quel est mon rôle véritable, là, ici, en ce moment ?* »

Votre réponse vous permettra de devenir de plus en plus conscient de votre attitude en de nombreuses situations. Et, plus l'on devient conscient de ses attitudes, plus l'on devient apte à choisir les bonnes !

?

À quoi pouvons-nous nous référer pour vérifier si notre attitude face au marché du travail des années 2000 est dans la bonne direction ?

Répondez par oui ou non aux trois questions qui suivent.

1 Êtes-vous enthousiaste à l'idée d'offrir vos services ?

2 Savez-vous ce qui motive votre désir d'offrir vos services ?

3 Avez-vous un projet ?

Si vous avez répondu « non » à l'une de ces questions, continuez à lire ce livre. Or, si ce n'est pas le cas, c'est que vous êtes dans la bonne direction !

?

À quoi ressemble l'attitude du travailleur des années 2000 ?

Le travailleur des années 2000 est gouverné par trois grandes façons de voir son rôle dans une société en grande transformation.

Employabilité

Sachant qu'aucune entreprise ne lui garantira du travail à perpétuité, le travailleur des années 2000 a développé la capacité de se rendre alléchant aux yeux des entreprises en choisissant une activité professionnelle qui a du sens à ses yeux et en optant pour la formation continue. C'est aussi une personne qui possède plusieurs compétences et qui sait les mettre à profit au moment opportun.

Esprit d'entreprise

Le travailleur des années 2000 se perçoit comme un fournisseur de services, un entrepreneur au sein d'une organisation. Quel que soit son rôle dans l'organisation, il y est pour contribuer à la mission que l'entreprise s'est donnée face à sa clientèle. C'est une personne qui s'engage à 100 % dans son rôle, car elle comprend que ce sont les résultats générés par l'entreprise dans son créneau d'activité qui dictent l'espérance de vie de ses propres services. Le travailleur des années 2000 forge son identité sur l'organigramme de ses acquis. Il est le chef de sa propre entreprise dont la raison sociale est : *Moi inc.* !

Flexibilité

Le travailleur des années 2000 a une capacité de plier sans casser, car il s'est débarrassé de ce qui est dépassé. Il franchit les obstacles au lieu de les contourner. Pour assimiler la nouveauté, il reste ouvert. Ce qui l'amène à rebondir après une déception. Il supporte l'incertitude, car il a trouvé la sécurité à l'intérieur de lui-même, plutôt que dans son environnement. Enfin, le travailleur des années 2000 n'aime pas nécessairement ce qu'il fait. Il dit plutôt qu'il fait ce qu'il aime !

Bbonheur et travail

?

De multiples personnes évoquent de l'insatisfaction face à leur vie professionnelle. Peut-on espérer vivre heureux au travail ?

Associer bonheur et travail est une aventure ambitieuse. À trop chercher ou espérer le bonheur au travail, on risque souvent de rencontrer son contraire !

En général, on parlera davantage du travail en fonction de la satisfaction ou en tant que moyen d'épanouissement. Pour faire suite au sondage Léger & Léger paru dans *Affaires PLUS*, les Québécois sont aujourd'hui plus nombreux qu'en 1994 à considérer leur travail comme un moyen de s'épanouir. Mais 54 % y voient d'abord un moyen de gagner leur vie. Cette vision est adoptée à 76 % chez les travailleurs manuels, tandis que ce sont les diplômés universitaires qui, à 46 %, veulent s'épanouir au travail. Les étudiants visent aussi l'épanouissement à 43 %.

La signification que nous accordons au travail compte pour beaucoup dans la façon dont nous vivrons cette dimension de notre vie. Une personne chez qui le travail représente un moyen par lequel s'exprimer, développer son potentiel ou apprendre de nouvelles choses, trouvera dans le travail un terrain propice où se satisfaire. Or, si le travail est perçu comme étant un mal nécessaire, il y a peu de chances qu'une personne trouve là les éléments clés qui lui permettront de s'épanouir.

Il est possible de rencontrer des gens malheureux ou modérément satisfaits dans un environnement hautement propice à l'épanouissement, tout comme il existe des personnes qui savent trouver satisfaction dans un environnement qui l'est moins. S'épanouir au travail est donc un choix tout à fait personnel.

Espérer vivre heureux au travail signifie souvent que l'on s'attend à ce que des choses extérieures à soi déclenchent en nous cet état de plénitude que l'on appelle le bonheur. Comme de nombreuses personnes l'ont sans doute écrit avant moi, le bonheur est un état que l'on cultive en soi et dont l'intensité fluctue avec cette somme d'aventures pleines de risques qu'est la vie.

Ainsi, l'insatisfaction au travail est en partie due au fait que les personnes entretiennent à l'égard du travail de nombreuses attentes qui s'avèrent, la plupart du temps, irréalistes. On s'attend à ce que le travail comble de nombreux besoins et cela m'apparaît être un grand danger. Le travail est l'un des aspects de notre vie. Il ne peut, à lui seul, les nourrir tous indéfiniment. Il importe d'investir ailleurs, que ce soit dans notre vie personnelle, affective, familiale ou sociale. Tout miser sur le travail, c'est risquer inévitablement de s'écrouler d'un coup, le jour venu de sa disparition.

Pour sortir des illusions que nous entretenons face au travail, il est bon de se rappeler que les entreprises n'ont pas pour vocation de nous rendre heureux. Si elles existent, c'est pour répondre aux besoins de leurs clients, faute de quoi elles disparaîtront et seront remplacées par d'autres qui se feront un plaisir d'y répondre.

Si nous offrons nos services à ces entreprises, c'est pour les aider à répondre à leur rôle dans l'économie. Sans nous, sans nos idées, nos connaissances, nos compétences, nos aptitudes et notre créativité, elles ne pourraient tailler leur place dans l'activité économique et demeurer compétitives. En fait, c'est la conclusion à laquelle nous sommes arrivés dans la « nouvelle économie du savoir ». En échange de nos services, nous recevons une rémunération qui nous permet d'assumer nos obligations et de continuer à tenir un rôle actif dans la société. Si, tout en mettant nos services à profit, nous faisons le choix de nous épanouir, c'est encore mieux ! Personne dans l'entreprise ne s'en plaindra, et surtout notre vie professionnelle aura bien meilleur goût.

Une fois que nous avons replacé dans son contexte le rôle des entreprises ainsi que le nôtre, rien ne nous empêche alors de faire des choix professionnels qui nous permettront de retirer du travail bien autre chose qu'une simple rémunération. Et c'est là que les choses peuvent devenir intéressantes. En effet, le travail est une aventure très enrichissante lorsque nous avons dépassé nos attentes irréalistes et que nous *décidons* de faire des choix adaptés à ce que nous sommes. Si à la question : « *Que visez-vous sur le marché du travail ?* » de nombreuses personnes répondent encore : « *Je vise... n'importe quoi !* », c'est qu'elles hésitent toujours à croire en l'importance de faire des choix adaptés à ce qu'elles sont.

Je mentionne souvent qu'une personne qui n'est pas à sa place ne rend service à personne, encore moins à elle-même. Il y a une place pour nous sur le marché du travail, mais pas n'importe laquelle, pas n'importe où. Cette place se trouve là où parfois nous avons peur de regarder.

En effet, une personne insatisfaite au travail présente autant de préjugés qu'une personne à la recherche d'un emploi : « *Je ne peux pas faire autrement...* », « *Je n'ai pas le choix...* », « *Je n'ai pas le courage de...* », « *Je n'aurai jamais ce que je veux* », etc. Tout au long de ma carrière, il m'est apparu évident qu'une personne qui ne se choisit pas a très peu de chances d'inviter ce que nous appelons, à tort ou à raison, le « bonheur au travail ».

?

Les personnes qui vivent beaucoup de satisfaction au travail ont-elles des traits en commun, une sorte de recette du bonheur ?

Je ne crois pas aux recettes. J'éviterai donc de vous servir un plat préparé. Or, il existe bien sûr des facteurs qui favorisent la satisfaction professionnelle. En examinant le profil moyen des entrepreneurs, nous trouvons inévitablement plusieurs pistes. Nous tenons pour acquis que ces derniers ont en commun des éléments qui favorisent une vie professionnelle très satisfaisante, car nous ne pouvons nous imaginer que des êtres malheureux de leur sort, ou insatisfaits de ce qu'ils font, pourraient réussir à créer des entreprises et les faire fructifier, lorsque l'on sait tout ce qu'il faut mettre pour y arriver !

Toutefois, il ne faudrait pas croire que ces personnes sont immunisées contre les périodes d'insatisfaction. Tout n'est jamais rose, comme tout n'est pas toujours gris. Le monde du travail n'est pas un nirvana perpétuel. S'il en était ainsi, je crois que nous ne serions guère productifs. J'aime me reporter au profil des entrepreneurs, car il ne fait nul doute que ces personnes défient de nombreuses règles pour parvenir à atteindre leurs objectifs. Et, s'ils parviennent à des résultats, c'est qu'ils ont une vision, un projet qui leur tient à cœur.

Lorsque nous nous référons à ces derniers, nous trouvons donc, sans contredit, de multiples aspects qui dynamisent l'engagement professionnel. Une personne engagée est celle qui entreprend. Une personne qui entreprend est celle qui se prend en main. Et, selon moi, une personne qui se prend en main a toutes les chances possibles de se rencontrer elle-même et, de ce fait, de toucher à l'essence d'un bonheur qui lui est propre.

Des études portant sur les entrepreneurs qui réussissent à créer, à développer et à faire fructifier des entreprises présentent, sous quatre grandes catégories, les caractéristiques qui les définissent le mieux. On met donc en relief leurs motivations, leurs aptitudes, leurs attitudes et leurs centres d'intérêt.

En faisant le tour des caractéristiques les plus couramment rencontrées chez les entrepreneurs, prenez le temps d'examiner s'il y a des traits qui ressemblent aux vôtres. Il y a une fibre d'entrepreneur en chacun de nous. La plupart du temps, c'est qu'on ne l'a pas encore découverte. Notez également que l'appellation « entrepreneur » désigne aussi bien le genre féminin que le genre masculin.

Du côté des motivations, l'entrepreneur présente un grand besoin de réalisation personnelle et d'accomplissement. L'autonomie de décision et d'action, l'ambition, l'indépendance, le goût de contribuer à quelque chose et la volonté de réussir sont d'autres motivations que nous leur associons. Leurs sources de motivation sont ce qui les incite à passer à l'action, à entreprendre.

Du côté des aptitudes, la confiance en soi figure en tête de liste. Le fait qu'un entrepreneur ait conscience de sa valeur personnelle contribue à le rendre confiant d'atteindre ses objectifs, malgré les nombreux obstacles auxquels il aura inévitablement à faire face. La confiance que l'entrepreneur entretient ne tient pas du hasard, elle a été acquise au fil des expériences réussies, au cours de chaque événement de la vie, positif ou négatif. En effet, seul le fait d'expérimenter peut nous permettre de mesurer notre propre efficacité et de bâtir notre sentiment de confiance. Celui ou celle qui ne tente rien pourra peut-être spéculer sur une théorie de la confiance, mais jamais cette personne n'aura le privilège de ressentir traverser tout son être de ce sentiment extraordinaire qu'est l'état de confiance. Il est cependant possible que la volonté de réussir nourrisse amplement la confiance en soi et transforme les obstacles en occasions d'apprentissage.

La persévérance et la ténacité sont d'autres aptitudes fortement rencontrées chez l'entrepreneur. Sans elles, il est impossible de faire face aux inévitables impondérables, aux freins, aux difficultés qui se présenteront au cours de la réalisation de son projet. La capacité d'adaptation est alors une autre aptitude importante, un allié de taille qui permet à l'entrepreneur de persévérer. L'enthousiasme, la capacité de communiquer cet enthousiasme, l'écoute et la compréhension des besoins d'autrui sont aussi des aptitudes bien exprimées chez l'entrepreneur. S'il ne peut écouter les besoins de son environnement, comment pourrait-il savoir y répondre ?

Du côté des attitudes, on reconnaît chez l'entrepreneur une prédisposition à calculer les risques. Les entrepreneurs « cascadeurs » connaissent une carrière plutôt éphémère. Du côté des attitudes, on dénote aussi une ouverture au changement, un positivisme, de l'intuition, une saine curiosité et un sens de la vision, c'est-à-dire une façon de voir son destin, de créer lui-même sa chance et de se l'approprier en procédant à des choix.

Finalement, du côté des centres d'intérêt, on note chez les entrepreneurs un penchant pour l'innovation, l'initiative, l'action, l'engagement, le défi et la recherche de toute information susceptible de mettre leurs projets en piste. En effet, étant donné que ce point sera traité plus longuement dans cet ouvrage, soulignons que la somme d'informations que toute personne pourra cumuler concernant son projet, qu'il s'agisse de lancer une entreprise ou d'intégrer le marché du travail, lui procurera un grand pouvoir de réalisation sur celui-ci. L'information enrichit le projet, car elle guide nos comportements et nos attitudes, précise la route à prendre et mène à d'autres débouchés.

À la manière de l'entrepreneur, chaque personne qui vise à intégrer le marché du travail peut devenir sainement curieuse, authentiquement intéressée et grandement satisfaite de l'aventure dans laquelle elle s'engage. Ceci, pour l'unique raison qu'elle aussi aura un projet qui lui tient à cœur de réaliser.

?

Comment se fait-il que l'argent, les revenus ou la recherche du profit ne figurent pas parmi les traits caractéristiques des entrepreneurs ? Il me semble que la plupart des entrepreneurs sont drôlement attirés par l'argent.

Bien sûr, les entrepreneurs ne sont pas des puristes. Pas plus que nous le serons d'ailleurs, le moment venu d'offrir nos propres services à nos clientes et clients potentiels sur le marché du travail. Tout comme je l'ai sans doute déjà mentionné, une personne qui vise à intégrer le marché du travail vise, en fait, un résultat. Pour obtenir ce résultat, elle aura besoin d'un projet. Et encore là, pas n'importe lequel. Un projet qui a du sens à ses yeux, qui lui donne le goût d'entreprendre. Son objectif deviendra donc celui de préciser ce projet qui lui tient à cœur.

Dans le même ordre d'idées, l'argent est un résultat. C'est ce qu'on échange en contrepartie des services que nous avons préalablement offerts. Pour arriver à cette étape, nous avons besoin d'un projet professionnel, un objectif qui, une fois atteint, nous permettra d'échanger nos services contre rémunération. Il en est de même pour l'entrepreneur. Malgré les nombreux préjugés négatifs entretenus à l'égard de l'entrepreneur et de sa notion de l'argent ou du profit, maints ouvrages soulignent que l'argent n'est pas un objectif pour l'entrepreneur, mais un moyen d'assurer son autonomie, d'améliorer sa situation financière, de mesurer son rendement et de concrétiser de nouveaux projets. Pour l'entrepreneur, tout comme pour nous, le seul motif économique ne peut suffire à surmonter les difficultés que nous éprouverons tout au long de notre vie professionnelle. L'argent n'est pas une motivation suffisante. Un projet significatif doit l'accompagner.

?

Sachant que l'argent est un résultat attendu qui permet à l'entrepreneur de continuer à faire ce qu'il aime faire et ce qu'il veut faire, sur quoi importe-t-il donc que nous nous penchions pour intégrer le marché du travail des années 2000 ? Et comment pouvons-nous faire pour développer les traits caractéristiques de l'entrepreneur ?

Ce n'est surtout pas en nous répétant qu'il nous faut faire preuve de certaines motivations, aptitudes ou attitudes que nous pourrons développer ou nous approprier l'une ou l'autre des caractéristiques entrepreneuriales présentées précédemment.

L'élément moteur qui nous permettra de les voir s'exprimer dans chacun de nos gestes, c'est le projet ! C'est-à-dire une intention qui a du sens à nos yeux !

Rappelez-vous un certain jour où vous avez tenu à quelque chose plus que tout au monde. Pensez à votre première bicyclette, à la planification d'un certain voyage, à la préparation d'un certain événement dont l'agréable souvenir est toujours imprégné dans votre mémoire. Peu importe ce que cela peut être, rappelez-vous comment vous vous sentiez, l'état dans lequel vous étiez.

L'esprit d'entreprise prend d'assaut tout projet porteur de sens. C'est à travers quelque chose de significatif à nos yeux que nous pouvons, à la manière de l'entrepreneur, mobiliser nos énergies, nos actions pour que, de l'état de projet, celui-ci devienne graduellement une réalisation concrète, palpable et viable. Un projet viable, c'est un projet qui peut vivre, que l'on organise de sorte qu'il aboutisse et... qu'il dure.

Nous revenons donc ici à la base de l'activité de recherche d'emploi des années 2000 : l'identification et l'articulation de notre projet. Un projet qui nous tient à cœur de réaliser. Un projet par lequel s'exprimeront nos motivations, nos aptitudes, nos attitudes et nos centres d'intérêt, à la manière même de l'entrepreneur : cette personne que nous devenons tous lorsque, enfin, nous avons une vision.

cibler son marché

*Cibler son marché,
c'est choisir le chemin par lequel entrer
dans une vaste forêt.*

?

Vous faites des liens très étroits entre la façon dont un entrepreneur planifie la mise en marché de ses produits et celle d'une personne qui vise à intégrer le marché du travail. Je sais qu'un entrepreneur doit cibler le marché qu'il vise à rejoindre, mais de mon côté, j'ai l'impression que le fait de me concentrer sur une cible risque de restreindre mes chances. Mes services sont ouverts à tous, pas à un seul marché.

Avez-vous déjà vu un entrepreneur refuser de servir un client sous prétexte que ce dernier ne faisait pas partie de son marché cible ?

La New Beetle de la compagnie Volkswagen visait le marché des jeunes dans la vingtaine en misant sur une campagne publicitaire axée sur un retour nostalgique aux années 1960. Or c'est la population des *baby-boomers* qui a, majoritairement, répondu en prenant d'assaut le marché ! Les stratégies de mise en marché créent parfois des réactions fort inattendues. Dans le cas de la New Beetle, personne chez Volkswagen ne s'est plaint des résultats, mais il arrive souvent qu'une stratégie que l'on croyait gagnante tourne à l'échec une fois le produit lancé sur le marché. Pourquoi alors faut-il une cible si elle risque de s'avérer un échec ? me direz-vous.

Premièrement, il est primordial d'établir une cible parce que nous misons sur le succès, pas sur l'échec ! Deuxièmement, parce que, sans une cible, il est presque assuré de connaître des échecs. Troisièmement, parce qu'il est rare qu'une cible devienne un échec si nous étudions bien notre marché. Finalement, il importe d'établir une cible pour donner une orientation à nos services afin de les mettre en piste vers des clientes et des clients potentiels qui n'affichent pas leurs postes dans les journaux, c'est-à-dire plus de 85 % d'entre eux.

Tout comme vous, plusieurs personnes évitent de cibler leur marché parce qu'elles prétendent que leurs services sont offerts à tous. N'est-il pas utopique de croire que nos services sont adaptés ou peuvent répondre aux besoins de toutes les entreprises ? Nul entrepreneur averti n'avancerait pareille affirmation. Il est impossible qu'un produit lancé sur le marché puisse répondre aux besoins de tous. Même si nous devons tous nous alimenter, nous ne mangeons pas tous du yogourt ! La publicité n'existerait pas si les produits ou les services offerts sur le marché répondaient aux besoins de tous.

Le fait de cibler un marché ne rend pas une démarche infaillible. Une cible de marché procure toutefois une orientation à partir de laquelle on peut prendre des décisions et mettre en place des actions stratégiques. Pensez à certaines activités sportives, le hockey par exemple. Pourquoi trouve-t-on des buts ? En fait, s'il n'y avait pas de buts sur la patinoire, aucun joueur ne saurait où lancer la fameuse rondelle. C'est vers le but que la stratégie du jeu s'oriente. Sans but, l'action cède la place à une période de patinage libre et les joueurs ne sont plus que des patineurs qui tournent en rond sur la glace.

Une cible, c'est un but, un objectif. C'est aussi une population visée par une campagne publicitaire ou une étude de marché. La recherche d'emploi des années 2000 nous force à cibler un marché, à énoncer un but, à préciser la clientèle afin que nous sachions pour quoi nous investissons nos énergies, vers quoi mobiliser nos actions et comment trouver la motivation nécessaire qui donnera du sens à nos démarches.

Le marché du travail s'est beaucoup complexifié depuis que notre économie fait face à la mondialisation et au rayonnement de la technologie. Dans les années 1960, une ving-taine de secteurs d'activité économique gouvernaient l'em-ploi. Ces secteurs sont dorénavant éclatés en centaines de sous-secteurs, créneaux ou niches de marché, tous plus dif-férents et spécifiques les uns que les autres. Comment une personne qui vise à intégrer le marché du travail dans les années 2000 peut-elle prétendre pouvoir offrir ses services à tout le monde ? Viser tous les secteurs d'activité économique revient à dire qu'une personne n'en vise aucun. On peut facilement s'imaginer le résultat.

Mon but, c'est un emploi !

Viser un emploi, c'est viser un résultat ! Ce ne peut être un objectif. Le joueur de hockey vise à marquer un but. Pour y arriver, il doit, entre autres, atteindre l'objectif de déjouer un ou plusieurs joueurs de l'équipe adverse. Pour ce faire, il mettra en place une stratégie qu'il juge valable ou en laquelle il croit.

Le marché du travail est devenu une dense et vaste forêt. Quel chemin prendrez-vous pour y entrer ? Comment vous y retrouver ? Pour se rendre dans un pays inconnu, rien n'est plus utile qu'une carte géographique sur laquelle on indique les endroits à visiter. Les choix que vous ferez orienteront vos démarches, sinon que ferez-vous et où irez-vous sans aucune cible sur un territoire qui vous est très peu familier ?

Nul ne peut avouer connaître suffisamment le marché du travail et les milliers de secteurs d'activité qui le compo-sent. Si plusieurs économistes consacrent la majorité de leur temps à suivre la fébrilité de l'activité économique, aucun n'est arrivé à prétendre en maîtriser l'information. Ils doi-vent sans cesse être à l'affût.

Ainsi, pour que vous puissiez vous retrouver dans le monde fébrile de l'activité du marché du travail, vous avez besoin d'un point d'ancrage à partir duquel vous pourrez amorcer vos démarches.

Sans une cible véritable, vous deviendrez un patineur libre, pas un marqueur de buts. Vous ne ferez qu'avancer au gré des événements et des situations qui se présentent à vous, vous contournerez par moments certains obstacles qui se présentent à vous, mais vous vous rendrez compte, tôt ou tard, que vous ne faites que tourner en rond et aller nulle part.

La recherche d'emploi des années 2000 requiert un plan de match et pas n'importe lequel : un plan qui a du sens à nos yeux ! Et pourquoi faut-il que ce plan ait du sens à nos yeux ? me direz-vous. Tout simplement pour trouver la motivation et l'énergie nécessaires à sa réalisation.

Les options « magasinage », telle une recherche d'emploi réalisée à partir des offres d'emploi annoncées dans les journaux, limitent grandement vos chances d'atteindre des résultats et grugent votre motivation. En effet, cette approche ne vous laisse aucun pouvoir de décision sur la nature du contenu: vous examinez ce qui est offert. Autrement dit, vous faites du lèche-vitrine ! La recherche d'emploi des années 2000 n'est pas une option de magasinage.

Sur le marché du travail des années 2000, il est plus opportun et plus efficace d'adopter une attitude entrepreneuriale qui consiste à offrir vos services à un marché cible composé de clientes et de clients potentiels dont vous chercherez à connaître les besoins. Abordé sous cet angle, un projet professionnel devient un véritable plan d'affaires.

?

Vous dites que de nombreux secteurs d'ac~~
dorénavant le marché du travail. À quel mar~~
adresser mes services et comment puis-je ci~~
qui aura du sens à mes yeux ?

Votre question est l'une des cinq questions p~~
d'une démarche entreprenante d'insertion profe~~

1 À quel marché dois-je offrir mes services ?

2 Quels sont les besoins de ce marché ?

3 Quel territoire suis-je en mesure de desservir ?

4 Qui sont mes clientes et clients potentiels sur ce territoire ?

5 Quelles démarches vais-je privilégier pour faire la promotion de mes services ?

Il importe donc de relier vos services à un secteur d'activité économique afin que vos intentions soient porteuses de
vision. Chaque secteur est constitué de plusieurs marchés
au sein desquels fourmillent de nombreuses entreprises oc-
cupées à répondre aux besoins de leur clientèle respective.

L'emploi total est réparti sous chacun des trois secteurs
d'activité qui régissent notre économie. Dans les années 2000,
la répartition québécoise de l'emploi tend à s'orienter vers
les répartitions moyennes suivantes :

- Secteur primaire :   2 % de l'emploi;

- Secteur secondaire :   18 % de l'emploi;

- Secteur tertiaire :   80 % de l'emploi.

Selon les données du ministère de l'Industrie et du Commerce, nous savons que les petites et moyennes entreprises
sont celles où les emplois créés et à créer sont les plus éle-
vés. Ce sont souvent des entreprises que nous connaissons
moins ou dont nous entendons le moins parler. Or 99,5 %
des entreprises québécoises sont des PME, c'est-à-dire des
entreprises qui emploient moins de 500 personnes. En conséquence, le fait de viser la clientèle des grandes entreprises

correspond à viser 0,5 % du marché des clientes et des clients potentiels, ce qui s'avère très peu stratégique.

Afin de bien comprendre le rôle que vous tiendrez tout au long des étapes requises à la réalisation de votre projet, vous devez pouvoir situer vos services dans un secteur donné et procéder au choix d'un ou plusieurs marchés cibles, dépendamment de votre mobilité. Le choix d'un marché cible s'impose parfois de lui-même, compte tenu de la spécificité des services offerts.

Par exemple, le choix du marché cible d'une technicienne en construction d'aéronefs sera davantage limité aux industries aéronautiques du secteur secondaire, ou encore aux compagnies de transport aérien du secteur tertiaire.

Mais dans le cas d'une personne qui vise à offrir ses services de technicienne comptable, les possibilités de marchés cibles et l'éventail des secteurs d'activité seront très nombreux. Et c'est justement le cas de nombreuses personnes qui visent à intégrer le marché du travail.

Afin de promouvoir efficacement vos services, vous devrez donc procéder à des choix stratégiques fondés sur vos intérêts et sur le bassin de clientèle disponible sur le territoire que vous visez à couvrir.

L'élément à observer pour déterminer un secteur d'activité qui saura stimuler votre esprit d'entreprise est d'appuyer votre choix de secteur sur une motivation réelle. Puisque vous aurez à approfondir votre secteur d'activité et votre marché cible afin de mieux les connaître, il est crucial que ce secteur vous intéresse particulièrement, sans quoi votre motivation en sera affectée.

Un véritable entrepreneur ne fait rien au hasard, pas plus qu'il ne serait apte à mettre en marché ou à s'associer à un produit auquel il ne croit pas. S'il détermine un marché cible, c'est qu'il y a, d'une part, un intérêt et, d'autre part, des besoins auxquels il peut répondre.

Certains secteurs d'activité connaissent d'excellents taux de croissance, mais cela n'est pas une motivation suffisante pour diriger vos énergies dans ce sens. Ce n'est pas parce que le secteur des technologies de l'information connaît un très bon taux de croissance qu'un entrepreneur dans le secteur de la vente et de l'installation de piscines décidera de s'adonner à la vente de cartouches à jet d'encre.

La motivation envers un secteur doit donc tirer sa source de vos propres intérêts. Puisque tous les secteurs d'activité se doivent d'être dynamiques sur le marché des années 2000, afin de conserver leur place dans l'activité économique, le choix que vous ferez deviendra tout autant dynamique.

La liste des trois grands secteurs de l'activité économique au Québec, que vous trouverez à la fin de ce chapitre, vous fournit un résumé de l'ensemble des secteurs qui gouvernent le marché du travail. Afin de fixer votre choix de secteur, laissez-vous guider par les pistes suivantes :

- dressez une liste des produits que vous avez l'habitude de consommer avec grand intérêt;

- dressez une liste des services que vous avez l'habitude d'utiliser avec plaisir;

- examinez les loisirs et les passe-temps pour lesquels vous avez de l'intérêt ou une certaine passion;

- pensez aux sujets qui vous passionnent ou sur lesquels vous aimez vous documenter et colliger de l'information;

- pensez aux produits, aux services ou aux activités qui piquent votre curiosité, qui vous stimulent et pour lesquels vous vous sentez engagé.

Le contenu de votre réflexion vous conduira inévitablement vers des produits, des services ou des activités qui retiennent particulièrement votre attention. Il vous suffira ensuite de faire un choix parmi ceux que vous aurez retenus et de l'associer au secteur d'activité correspondant en utilisant, au besoin, la liste des trois grands secteurs de l'activité économique au Québec.

Dans un même secteur d'activité fourmillent plusieurs marchés. Chaque marché possède son propre regroupement d'entreprises tantôt concurrentielles, tantôt linéaires, tantôt complémentaires entre elles, selon les services, les produits offerts ou les clientèles visées. Votre marché cible peut donc être constitué uniquement d'entreprises qui se font concurrence, c'est-à-dire des entreprises qui offrent pratiquement les mêmes produits ou services. Nous dirons alors que vous offrez vos services sur un marché cible concurrentiel, comme dans l'exemple :

« Dans le secteur d'activité du meuble (secteur secon-daire), Jean a ciblé le marché des entreprises qui fabriquent des meubles de bureau. »

Si cette catégorie d'entreprises s'affiche en nombre suffi-sant sur le territoire que Jean a établi, il pourra, s'il le sou-haite ainsi, s'en tenir à ce marché et procéder alors à l'étude de son marché. Toutefois, si Jean ne devait trouver qu'un léger bassin de fabricants de meubles de bureau sur le terri-toire qu'il a délimité, il devra ajouter un deuxième ou même un troisième marché cible, au besoin. Ces marchés ajoutés seront cependant toujours reliés au secteur d'activité qu'il a choisi. Nous appellerons ces deuxième ou troisième mar-chés, des marchés linéaires.

Si Jean vise à offrir ses services à titre de représentant des ventes en meubles de bureau, il peut approcher au moins trois marchés dans un même secteur d'activité :

1. les entreprises manufacturières de meubles de bureau (les fabricants);

2. les grossistes en meubles;

3. les commerces de détail dans le domaine du meuble de bureau.

Nous pouvons cibler plusieurs marchés sous un même secteur d'activité. Mais si plusieurs secteurs d'activité nous intéressent, est-il possible de faire de même ?

Selon les services que vous avez à offrir, il est possible que vous puissiez réaliser votre campagne publicitaire auprès d'une multitude de secteurs d'activité, sans lien apparent entre eux. Par exemple, une personne qui vise à offrir ses services de commis en bureautique et en comptabilité peut approcher une panoplie de secteurs d'activité. Cependant, elle vivra une campagne publicitaire diluée et certainement difficile parce qu'il relève de l'exploit de bien connaître plu-sieurs secteurs d'activité.

La recherche d'emploi des années 2000 exige que l'on étudie le marché que nous avons ciblé afin de bien le connaître. Car plus nous le connaîtrons, plus nous serons aptes à cerner nos clientes et clients potentiels et à répondre à leurs besoins. Or, cela exige de l'investissement du côté temps. Plus vous rendrez votre démarche complexe, plus vous vous éparpillerez et plus vous vous éloignerez d'une stratégie efficace. Partez toujours d'un secteur qui stimule votre intérêt. Vous découvrirez par la suite que chaque secteur d'activité économique renferme plusieurs marchés cibles parfois très différents les uns des autres, comme dans l'exemple qui suit.

Le projet de Louise est d'offrir ses services à titre de technicienne en gestion financière. Étant donné qu'elle a ciblé le secteur de l'industrie pharmaceutique, elle peut procéder à une campagne publicitaire composée des priorités suivantes :

- les fabricants de produits pharmaceutiques;

- les fournisseurs de contenants, d'étiquettes et de produits d'emballage pharmaceutique;

- les distributeurs de produits pharmaceutiques.

Ainsi, dans l'éventualité où les entreprises répertoriées dans un choix de marché cible s'avèrent être en nombre insuffisant, vous pourrez poursuivre la promotion de vos services avec votre deuxième priorité de marché cible, et ainsi de suite avec votre troisième priorité, s'il y a lieu.

C'est en ultime recours qu'il vous sera recommandé de modifier radicalement votre choix de secteur d'activité, c'est-à-dire dans l'éventualité où les résultats de votre étude de marché vous démontreraient que vos services sont inaptes à répondre aux besoins de ce secteur. Ce qui risque de s'avérer fort rare, à moins d'avoir surestimé vos services ou mésestimé le marché du travail.

?

J'ai déjà beaucoup d'expérience dans le secteur de l'alimentation, mais j'aurais le goût d'explorer un autre secteur. Serait-ce une bonne idée ?

L'expérience que vous possédez dans un secteur d'activité est une fondation professionnelle précieuse. Il faut éviter de vouloir trop vite la mettre de côté.

Toutefois, si vous avez développé d'autres intérêts, connaissances ou compétences dans un autre domaine, rien ne vous empêche d'explorer ou d'aller de l'avant dans cette voie. Or, l'employabilité face à certaines activités professionnelles peut dépendre de vos connaissances ou compétences dans un secteur donné. Tel est notamment le cas pour la profession d'acheteur. Vous savez sans doute qu'une connaissance du domaine de l'alimentation procurera une forte valeur ajoutée aux services d'un acheteur qui vise à intégrer ce secteur. Il en est de même de certaines professions reliées à la vente ainsi que celles reliées au génie-conseil.

Bref, c'est en avançant que vous saurez si votre choix est bon. Si vous conservez le ratio de 20 % de temps consacré à faire des choix pour 80 % d'action exploratoire, vous saurez rapidement si vous êtes sur la bonne route. Dans votre cas, ne négligez pas tous les domaines connexes à l'alimentation, car ce secteur regroupe plusieurs marchés cibles tout aussi intéressants et que vous n'avez peut-être pas encore découverts.

Les trois grands secteurs
de l'activité économique au Québec*

SECTEUR PRIMAIRE
Exploitation des ressources naturelles

Selon les données de 1995, ce secteur générait 3,5 % des emplois au Québec, contrairement à 8,2 % en 1966.

- Agriculture et services relatifs
- Élevage du bétail et de la volaille
- Autres élevages (poissons, animaux à fourrure)
- Grandes cultures (céréales, plantes, tabac, pommes de terre)
- Culture des fruits et des légumes
- Horticulture
- Services relatifs à l'agriculture (élevage, culture)
- Pêche et piégeage
- Exploitation forestière et services forestiers
- Mines, carrières, sablières et puits de pétrole
- Services miniers (extraction du pétrole et de gaz naturel)

SECTEUR SECONDAIRE
Industries manufacturières

Selon les données de 1995, ce secteur générait 23 % des emplois au Québec, contrairement à 34,9 % en 1966.

- Aliments
- Boissons
- Tabac
- Produits de caoutchouc
- Produits en matière plastique
- Cuir
- Textiles
- Habillement
- Bois
- Meuble et articles d'ameublement
- Papier et produits en papier
- Imprimerie, édition et industries connexes

- Première transformation des métaux
- Fabrication des produits métalliques
- Machinerie
- Matériel de transport
- Produits électriques et électroniques
- Produits minéraux non métalliques (argile, ciment, pierre, béton, verre, abrasifs, chaux)
- Produits du pétrole et du charbon
- Industries chimiques (usage industriel, usage agricole, matières plastiques, résines synthétiques, produits pharmaceutiques, médicaments, peintures et vernis, savons et composés pour nettoyage)
- Autres (matériel scientifique, bijouterie, orfèvrerie, articles de sport et de jouets, enseignes)

SECTEUR TERTIAIRE
Services

Selon les données de 1995, ce secteur générait 73,5 % des emplois au Québec, contrairement à 56,9 % en 1966.

- Construction (toutes catégories et tous services)
- Transports aériens et services
- Transports et services ferroviaires
- Transports par eau et services
- Camionnage
- Transports en commun
- Transports par oléoduc
- Entreposage (silos à grains, entrepôts frigorifiques)

Communications/autres services publics
- Radiodiffusion et télévision
- Télégraphie et téléphonie, et autres services de télécommunications
- Services publics (électricité, gaz, eau)

Commerces de gros
- Produits alimentaires, boissons, médicaments, produits de toilette, tabac, vêtements, chaussures, tissus et mercerie, articles ménagers, véhicules automobiles, pièces et accessoires, articles de quincaillerie, plomberie, chauffage et construction, machines, matériel et fournitures

Commerces de détail
- Aliments, boissons, médicaments, tabac, journaux, chaussures, vêtements, tissus, meubles, appareils et accessoires d'ameublement de maison, véhicules automobiles, pièces et accessoires, librairies, papeterie, fleuristes, centres de jardinage, quincailleries, articles de sport et bicyclettes, instruments de musique et disques, réparation de montres et de bijoux, appareils et fournitures photographiques, jouets, articles de loisirs, fantaisies et souvenirs, opticiens, galeries d'art et fournitures pour artistes, bagages et maroquinerie, monuments funéraires, animaux de maison, pièces de monnaie et timbres

Intermédiaires financiers et assurances
- Banques, sociétés de fiducie, prêts hypothécaires, caisses d'épargne et de crédit
- Sociétés de financement des entreprises
- Sociétés d'investissement
- Assurances et courtiers
- Services immobiliers et agences d'assurances

Services aux entreprises
- Bureaux de placement et services de location de personnel
- Services informatiques et services-conseils en informatique
- Comptabilité et tenue de livres
- Publicité
- Bureaux d'architectes, d'ingénieurs, conseillers en gestion, cabinets d'avocats et de notaires

Services gouvernementaux
- Services d'enseignement
- Maternelle, élémentaire, secondaire, post-secondaire et universitaire
- Formation personnelle et populaire
- Musées et archives
- Bibliothèques
- Services de santé et services sociaux
- Centres hospitaliers
- Centres d'accueil, de transition, de réadaptation, d'hébergement
- Centres locaux de services communautaires
- Garderies pour enfants

- Centres de travail adapté
- Services de maintien à domicile
- Services d'aide de nature affective ou psychologique
- Cabinets de médecins et de dentistes
- Cabinets de chiropraticiens, ostéopathes, infirmiers, nutritionnistes, psychothérapeutes, ergothérapeutes, optométristes, podiatres, denturologistes, psychologues, travailleurs sociaux
- Laboratoires médicaux, radiologiques, banques de sang, services d'ambulance
- Associations de la santé et des services sociaux
- Organismes religieux

Hébergement et restauration
- Hôtels, auberges, centres de villégiature, restaurants, entreprises de services alimentaires

Autres services
- Services de divertissements et de loisirs
- Production et distribution de films
- Projection de films
- Théâtres et autres spectacles
- Sports commerciaux (clubs sportifs, hippodrome)
- Clubs sportifs et services de loisirs (clubs de golf, curling, installations de ski, location de bateaux et ports de plaisance)
- Loteries et jeux de hasard
- Salles de quilles, billard, parcs d'attractions, cirques, studios et écoles de danse, pistes de patinage, jardins zoologiques et botaniques, centres récréatifs
- Services personnels et domestiques (salons de beauté, services de nettoyage à sec, pompes funèbres, ménages, cordonneries, réparation et entreposage de fourrures)
- Associations (commerciales, professionnelles, organisations religieuses, syndicats, organisations politiques, civiques et amicales)
- Location de machines et de matériel, d'automobiles et de camions
- Photographes
- Services de réparations diverses, services aux habitations, services de voyages

---

* Ministère de l'Industrie et du Commerce, *Le secteur manufacturier et le commerce au Québec en 1996.*
Ministère de l'Industrie et du Commerce, *Les PME au Québec: état de la situation*, 1998.

détermination

La détermination est une décision,
une résolution qu'on prend après avoir hésité.
Le Petit Larousse

?

J'ai récemment perdu mon emploi et je ressens très peu de courage pour affronter ma réintégration au marché du travail. Est-ce normal ?

Je dirais même que c'est tout à fait sain ! Lorsqu'on est en période de transition, tout autour de soi semble chaotique. Mais rassurez-vous, dans le plus manifeste chaos subsiste un grand ordre. Avez-vous déjà vu l'image d'une nébuleuse ? Ce vaste nuage de gaz et de poussières interstellaires présente une allure plutôt confuse, troublée et même quelque peu troublante. Pourtant, au cœur de la nébuleuse, s'apprêtent résolument à naître des millions d'étoiles. Des étoiles déterminées à prendre leur place dans l'univers !

Il importe de faire le vide d'un environnement professionnel avant d'en joindre un nouveau, et de pouvoir préciser ce nouveau projet à travers lequel exprimer notre détermination. Le vide est préalable au plein. Nous sommes des êtres humains, pas des automates programmables.

Puisque vous évoquez le mot « courage » pour expliquer votre manque de détermination, sachez que le courage, en fait, ne vient pas avec le fait d'être déterminé. Le courage, c'est de continuer à avancer vers ce qui vous fait peur, vers ce nuage de brume placé droit devant vous. Lorsque vous aurez fait le deuil de votre dernier emploi, un ordre dynamique entraînera votre détermination à reprendre votre place sur le marché du travail. Profitez de cette période transitoire pour :

- écrire une lettre d'adieu à votre dernier employeur. Ensuite, brûlez-la ou inventez votre propre rite de passage;

- faire le bilan de vos compétences, pour retracer vos « bons coups »;

- réapprendre à « parler de vous ». Par exemple, faites comme si vous aviez un correspondant à l'autre bout de la planète à qui vous devez vous présenter. Profitez-en pour vous vanter, c'est-à-dire mettre en valeur la personne que vous êtes dans les meilleurs aspects de votre personnalité;

- dresser le plan de votre nouveau projet lorsque vous serez prêt: sur quels services souhaitez-vous maintenant mettre l'accent ? À qui vous plairait-il d'offrir vos services ? En quoi ces services les intéresseront-ils ? Reportez-vous ensuite au chapitre « P » pour une vision plus détaillée de votre projet;

- élaborer votre nouvelle offre de service adaptée à l'image des services que vous visez à offrir.

C'est ensuite que vous pourrez prendre la décision de foncer... avec résolution ! Le chapitre « S » vous guidera en ce sens.

J'occupe le même emploi depuis bientôt quatre ans. Je stagne et n'y trouve pas mon compte. Seul le salaire en vaut la peine. Comment pourriez-vous me convaincre de quitter mon poste actuel pour réaliser un projet qui me tient à cœur ?

Comment pourrais-je vous convaincre de vous sentir déterminé si, pour l'instant, vous n'y êtes pas résolu ? Personne ne peut vous convaincre d'avancer dans une direction que vous n'aurez pas vous-même choisie. De plus, je crois qu'il ne serait guère stratégique de quitter votre emploi sans planifier votre départ, c'est-à-dire sans avoir procédé à l'articulation de votre projet et entrepris les étapes préliminaires conduisant à sa réalisation.

Puisque l'attitude de l'entrepreneur guide la plupart de mes réponses, il importe d'ajouter que l'entrepreneur qui a un projet qui lui tient à cœur calcule, en tout temps, les risques entourant ses décisions. En conséquence, si vous avez un projet que vous caressez depuis quelque temps, saisissez l'occasion de l'élaborer au mieux. Seul un projet suffisamment significatif vous rendra déterminé à quitter votre emploi. En prenant le temps de bien l'articuler, vous saurez rapidement si vous faites bonne ou fausse route.

Si vous stagnez ou ne trouvez pas votre compte dans votre emploi actuel, je vous encourage fortement à investir du temps vers de nouveaux objectifs, car si vous ne le quittez pas de vous-même, il y a fort à parier que quelqu'un s'en chargera à votre place ! Sachez d'abord ce que vous voulez vraiment. C'est ensuite que vous serez déterminé à prendre les mesures nécessaires pour améliorer la qualité de votre vie professionnelle.

?

Comment savoir ce que je veux quand il y a de si nombreux choix, possibilités et intérêts ? Choisir une option, c'est en éviter plusieurs autres. Comment me sortir de ce labyrinthe ?

Avez-vous déjà ramassé des coquillages sur une plage ? Au gré d'une marche sur la grève, on en voit plusieurs. On se penche çà et là pour en prendre un qui nous attire particulièrement. Notre marche se poursuit, et on en ramasse un autre. Au bout d'une heure de marche, on a les poches pleines. On ne peut plus en ajouter un seul. C'est alors qu'on décide de s'asseoir un instant pour vérifier notre cueillette et pour réviser notre choix de l'un ou l'autre de ces coquillages. On remarque que, dans l'ensemble, il n'y en a que quelques-uns uns qui se démarquent véritablement des autres. De plus, on note qu'ils ne sont pas tous aussi beaux qu'on l'a cru au moment où on les a ramassés. Une évaluation critique de notre cueillette de coquillages nous amène finalement à n'en retenir qu'un seul. Celui qu'on a choisi avec discernement parmi tous les autres... c'est celui-là seulement qui aura le privilège de devenir votre porte-bonheur !

esprit d'entreprise

*L'esprit d'entreprise,
c'est l'aptitude d'une personne à mobiliser,
à rassembler et à organiser les choses
pour s'adapter à son environnement
en modifiant continuellement ses comportements
et ses attitudes afin d'atteindre son objectif.*

?

Vous placez l'esprit d'entreprise au sommet des qualités professionnelles, tant chez le chercheur d'emploi que dans la vie au travail. Est-ce réaliste de croire que quiconque puisse faire valoir cette qualité ?

L'histoire de l'humanité est une longue et passionnante aventure construite autour de projets. Petits ou grands, c'est par milliards qu'ils ont guidé notre évolution à travers les siècles, nous rappelant ainsi combien notre besoin d'entreprendre est fondamental.

Au plus loin de ses origines, l'être humain a dû mobiliser, rassembler et organiser les choses pour s'adapter à son environnement en modifiant continuellement ses comportements et ses attitudes afin d'atteindre un objectif visé, entre autres celui d'assurer sa survie. Nous pourrions prétendre que si l'humain avait été privé d'esprit d'entreprise, la vie sur terre lui aurait été impossible.

L'esprit d'entreprise est donc une faculté imprimée dans notre répertoire de survie depuis fort longtemps. Ce n'est pas une marque de commerce réservée à l'entrepreneur. Contrairement à l'idée préconçue, on ne naît pas entrepreneur, on le devient. Il en va de même pour l'esprit d'entreprise : on peut la « faire devenir », lui donner l'occasion de surgir.

Paul-Arthur Fortin dit que 10 % des personnes de toute société ont les caractéristiques appropriées pour devenir entrepreneurs. Si toutes ces personnes devaient exprimer leur esprit d'entreprise, nul doute que le nombre d'entreprises québécoises augmenterait rapidement. En général, lorsque nous faisons référence à celles et à ceux qui possèdent les caractéristiques appropriées pour devenir entrepreneurs, nous parlons d'un potentiel de personnes aptes à démarrer et à développer des entreprises à vocation commerciale ou industrielle. Or, cela n'est pas dans les cordes de chacun, car le démarrage d'une entreprise fait appel à un ensemble de conditions et de caractéristiques qui relèvent d'un tout autre cadre de vision. Tout le monde ne devient donc pas entrepreneur. Nous avons tous, cependant, la possibilité de faire preuve d'esprit d'entreprise lorsque nous sommes guidés par une intention significative.

Sans un projet qui nous tient à cœur ou sans une intention qui a du sens à nos yeux, l'esprit d'entreprise reste englouti au plus profond de nous-mêmes et ne peut s'affirmer en toute authenticité. En effet, l'esprit d'entreprise se voit, se sent. Vous avez sans doute déjà rencontré une personne engagée, du genre qui vous laisse la vive impression : « Celle-là a l'air de savoir où elle s'en va ! » Si une personne prétend posséder l'esprit d'entreprise, nous devrions très certainement le voir transparaître à travers ses comportements et ses attitudes. Lors d'une entrevue de sélection, dans chaque activité professionnelle, tout comme dans nos moindres relations avec les autres, c'est le non-verbal d'une personne qui reflète la présence ou l'absence d'esprit d'entreprise. Et c'est là toute sa valeur et toute sa force !

Oui, l'esprit d'entreprise est un trait professionnel de première importance, tant chez la personne à la recherche d'un emploi dans les années 2000 que pour celle qui gravite déjà dans l'univers du monde du travail. Si de très nombreuses personnes affirment avoir l'esprit d'entreprise en état d'hypothermie, sachez que c'est tout à fait normal. C'est qu'il y a plusieurs décennies d'histoire industrielle qui se cachent derrière. Durant plus d'une cinquantaine d'années, l'esprit d'entreprise n'a été utile qu'aux entrepreneurs qui ont contribué au développement de l'ère industrielle. Durant toutes ces années, des milliers de personnes ont désappris à faire projet. Personne ne leur a demandé de réaliser ce qu'elles étaient, d'exprimer leur potentiel ou leur créativité, de faire preuve d'initiative, d'esprit d'équipe ou d'ouverture au changement.

À l'ère industrielle, on avait besoin de « main »-d'œuvre, comme s'il était possible d'oublier les autres parties de son être, sans les atrophier. Les entreprises d'hier, orientées vers une production de masse, s'attardaient à répondre aux besoins grandissants de consommateurs devenus de plus en plus nombreux. Dans les années 2000, le groupe de consommateurs ne grandit plus. Les entreprises doivent se les partager, les attirer de mille et une façons. Les consommateurs d'hier n'existent plus. Ils sont devenus, aujourd'hui, des clients. Des clients informés et infidèles, car ils se tournent vers là où ils en auront davantage pour leur argent puisque leur budget ne grandit pas plus. Face à ces nouvelles normes, les entreprises réagissent ou s'éteignent, faute d'adaptation au changement.

Les entreprises des années 2000 vivent de tout autre chose qu'hier : innover, créer, répondre à de nouveaux besoins, demeurer compétitives, lancer de nouveaux produits et services, investir dans la recherche et le développement, faire quelque chose de différent, agir autrement, penser différemment. Autrement dit, « faire preuve d'esprit d'entreprise » est devenu une carte maîtresse sur laquelle comptent de nombreuses entreprises pour demeurer dans la course. C'est à nous que ce mandat est confié. Car c'est à travers nous seuls que l'esprit d'entreprise peut véritablement s'exprimer.

?

Comment se comporte une personne qui fait valoir son esprit d'entreprise en recherche d'emploi ?

Une personne qui exprime son esprit d'entreprise sur le marché du travail des années 2000 est celle qui fait valoir non seulement ses intérêts, ses compétences et ses aptitudes ; cette personne exprime ses convictions, sa vigueur, sa soif de réalisation, son bonheur de s'associer et d'engager le meilleur d'elle-même dans un projet à travers lequel elle exploite ce qu'elle est et tout ce qu'elle peut devenir.

Une personne qui fait preuve d'esprit d'entreprise n'a rien à vendre, mais tout à offrir ! Elle est convaincue et devient convaincante aux yeux des autres. En communiquant son projet, elle invite autrui à le partager et à s'y associer. Qui n'a pas un jour désiré quelque chose de vraiment important, une chose qui a su faire jaillir du plus profond de soi les arguments, les idées ou les actions nous permettant d'atteindre l'objectif anticipé ?

Lorsqu'on traduit un rêve en actions et qu'il mobilise le meilleur de nous-mêmes, celui-ci devient un projet porteur d'esprit entrepreneurial. Cultiver un rêve en projet, voilà ce à quoi s'attarde l'entrepreneur ! Voilà ce qui fait qu'une personne peut faire valoir son esprit d'entreprise.

L'esprit d'entreprise ne s'achète pas et il ne suffit donc pas de vouloir en faire preuve pour qu'il se manifeste, tout comme il ne suffit pas de vouloir être motivé, déterminé ou enthousiaste pour le devenir véritablement. Une action préalable est donc nécessaire au déclenchement de l'esprit d'entreprise : la recherche d'un projet porteur de sens !

Si l'esprit d'entreprise a toujours eu sa place dans l'histoire du travail, on en parle davantage aujourd'hui parce que notre richesse collective en dépend. Les milliers d'entreprises qui dynamisent le marché du travail sont à la recherche de nouvelles idées et façons de faire pour demeurer compétitives et survivre à la concurrence. Ces multiples projets que l'on ne fait pas naître, nous en portons le manque. D'abord le nôtre, puis avec lui, celui de toute notre société.

De nouveaux besoins surgissent sans cesse dans notre société. Ceux-ci vont de pair avec des problèmes grandissants qui nécessitent des solutions innovatrices. Qui dit problèmes, dit aussi occasions !

Dans les années 2000, les occasions ne manquent pas pour tous ceux et celles qui ont et auront des projets. Si l'esprit d'entreprise est une façon d'être accessible à tous, c'est que notre réussite sociale, personnelle ou professionnelle ne dépend désormais que de nous, c'est-à-dire de notre désir de nous engager envers quelque chose qui nous tient véritablement à cœur.

La balle est dans notre camp et ce ne sont pas les défis qui manquent ni le travail. Avis aux personnes qui ont, dans leur banque d'intérêts, un rêve à nommer, un projet à défendre.

Jamais il n'y aura meilleure période que les années 2000 pour que jaillisse, enfin, cet impatient qui sommeille en chacun de nous : l'esprit d'entreprise !

?

Quelles sont les qualités qui révèlent l'esprit d'entreprise ?

Les qualités des personnes habituellement associées à l'esprit d'entreprise sont :

- la confiance en soi;
- la persévérance;
- la capacité d'adaptation;
- la curiosité;
- l'autodiscipline;
- l'esprit d'initiative;
- l'aptitude à gérer son temps;
- le sens des responsabilités;
- l'aptitude à se maîtriser;
- l'enthousiasme et l'optimisme;
- le flair, l'intuition et la créativité;
- le jugement;
- l'aptitude à comprendre les besoins d'autrui;
- l'aptitude à la concentration;
- la tolérance au stress;
- la bonne condition physique;
- la forte capacité de travail;
- l'énergie.

Quels sont les obstacles à l'esprit d'entreprise ?

Nous savons que l'environnement familial, social ou économique peut compter pour beaucoup dans l'éveil de l'esprit d'entreprise. Nous savons aussi que certaines caractéristiques personnelles peuvent empêcher qu'il se manifeste, comme :

- ne pas connaître ses forces et ses faiblesses;

- sous-estimer l'importance d'acquérir certaines connaissances essentielles pour pouvoir atteindre ses buts;

- ne pas tirer pleinement profit de ses motivations et de ses qualités, soit par timidité, soit par crainte des réactions des autres;

- ne pas aller au bout de ses projets par négligence, par paresse ou par démotivation.

formation continue

*Pour affronter l'avenir, il nous reste trois cartes maîtresses :
la formation continue, le goût du changement et
l'aptitude à vivre dans l'incertitude.*

Jim Harris

?

Pourquoi est-ce si important de miser sur la formation continue, même si nous avons une formation de base ?

Une formation de base n'est-elle pas qu'une base ? Dans une économie et un marché du travail caractérisé par un rythme rapide de progrès technique et des activités à forte intensité de savoir, le rôle de la formation continue devient primordial pour chaque travailleuse et chaque travailleur des années 2000.

La formation continue fait dorénavant partie de ce que l'on peut appeler la « valeur ajoutée » à nos services, un élément indispensable au maintien dynamique de notre compétitivité professionnelle.

Dans une société relativement stable, les gens construisent généralement leur avenir professionnel en faisant des études dans un domaine précis et qui les conduiront à un métier précis ou à une profession précise. Un marché du travail assez stable mène donc à un avenir professionnel prévisible, comme lorsqu'on prend le train de Montréal pour se rendre à Québec et que, deux heures plus tard, on y est effectivement. Or, dans une économie et un marché du travail en pleine évolution et en changement continu, on aura

beau vouloir se rendre à Québec qu'on aura d'abord cons-
taté qu'il n'y a pas que le train. L'automobile peut vous appa-
raître comme étant un moyen de transport mieux adapté à
vos besoins. De plus, vous constaterez qu'il n'y a pas qu'une
seule route pour s'y rendre. En chemin, vous apercevrez de
nombreuses sorties d'autoroute et en prendrez sans doute
plusieurs, le temps de réaliser de nouveaux apprentissages
qui s'ajouteront à vos acquis. Peut-être qu'un jour désirerez-
vous entreprendre un tout nouveau voyage dans une direction à laquelle vous n'aviez pas songé. En parcourant votre
vie professionnelle, vous vous rendrez compte que tout est
possible et qu'il n'en tient qu'à vous de lui donner l'élan
qu'il vous plaît.

Les entreprises qui se sont dotées de personnes maîtrisant plusieurs connaissances obtiennent un meilleur rendement, tout comme les pays qui misent sur la connaissance
sont plus productifs et plus concurrentiels. Les entreprises
innovatrices se distinguent des autres parce qu'elles ont à
leur service une densité élevée de qualifications professionnelles. Ainsi, les individus qui développent leurs connaissances et leurs compétences de façon continue deviennent
plus qualifiés. Ils s'assurent ainsi d'une collaboration soute-
nue au marché du travail, en plus d'une meilleure rémunération.

Dans les années 2000, il importe d'avoir un projet « orientant ». Si personne n'est forcé à faire un voyage qui ne lui
convient pas, nous sommes cependant tous invités à préciser cette aventure professionnelle qui aura du sens à nos
yeux, puisque nous savons dès maintenant que nous
sommes les seuls véritables décideurs de son itinéraire. Ce
n'est pas tout de faire naître un projet. Encore faut-il comprendre que nous sommes responsables de sa réalisation,
responsables aussi d'ajouter à ce projet de nouveaux acquis
afin d'assurer sa viabilité, c'est-à-dire son « évolution continue ».

?

J'ai un diplôme d'études secondaires et plein de « cœur au ventre ». Puis-je miser sur ma détermination pour trouver ma place sur le marché du travail des années 2000 ?

Nous avons tous de nombreux exemples qui démontrent la somme de réalisations qu'une personne déterminée peut réussir à accomplir. Mais que fait une personne déterminée lorsque ce qu'elle vise particulièrement à offrir ne répond plus aux besoins ou aux problématiques du marché du travail ? Rappelons-nous que le marché du travail est un système dépourvu de sentimentalisme. Les entreprises qui le dynamisent sont là pour une seule raison : répondre aux besoins de leurs clients. Puisqu'elles n'attendent pas que leurs produits ou services ne répondent plus aux besoins de leurs clients avant d'agir, elles en créent de nouveaux, innovent ou acquièrent de nouveaux équipements. Enfin, elles s'adaptent afin de conserver leur part de marché. Lorsqu'elles ne peuvent adapter leurs façons de faire, elles se placent dans une situation précaire. Elles auront beau s'acharner à défendre leurs produits ou services, rien n'y fera. Leur rôle s'éteindra !

Ainsi en va-t-il de nos compétences et de notre formation. Le Québec, comme certaines autres sociétés nord-américaines, a longtemps cru posséder un long pas d'avance, côté industriel, sur d'autres nations moins développées. Or, pendant que ces sociétés comprenaient la valeur de la formation, lorsque l'invasion de l'informatique et la mondialisation se sont fait sentir autour des années 1970-1980, nous avons fait face à une autre réalité : c'est nous qui étions devenus le pays sous-développé ! Sans parler du sous-développement chronique des connaissances et des compétences de nos travailleuses et travailleurs. Avec leurs produits de haute qualité à des coûts inférieurs aux nôtres, nous n'étions plus de taille ni compétitifs pour concurrencer ces pays. Les entreprises ont dû opter pour la cure d'amaigrissement et se remettre en forme pour faire face aux changements. Tel fut le cas de tous ceux et celles qui se sont rendus à l'évidence que, sans compétences mises à jour, sans rafraîchissement continu, un rôle au sein des entreprises devient vite précaire.

Les chercheurs des Réseaux canadiens de recherche en politiques publiques disent que, pour participer pleinement à la nouvelle économie, les gens ont besoin non seulement d'une scolarité de base, mais aussi d'élargir leurs compétences tout au long de leur vie professionnelle, sans quoi ils risqueront une marginalisation croissante à cause d'une détérioration sur le plan des compétences. Ces chercheurs soutiennent également que s'il existe encore des postes peu spécialisés, leur part relative est à la baisse et la concurrence pour les obtenir s'est intensifiée. Pourquoi, direz-vous, s'est-elle intensifiée ? Tout simplement parce que la formation a été une voie négligée par beaucoup trop d'entre nous. Il n'est pas rare de rencontrer des personnes dans la trentaine qui n'ont pas terminé des études de deuxième secondaire. De plus, on trouve maintenant un plus grand nombre de femmes sur le marché du travail et des jeunes recherchent davantage des possibilités d'emploi même lorsqu'ils fréquentent encore l'école. Entre-temps, les étapes du cycle traditionnel « scolarité-emploi-retraite » deviennent plus floues. Par conséquent, l'apprentissage formel est vraiment devenu une nécessité répartie sur toute la durée de la vie active d'une personne. Enfin, les relations en matière d'emploi sont devenues plus diversifiées à mesure que s'est ajouté, aux postes traditionnels, un éventail de formes de travail: temps partiel, contrats à durée délimitée, travail autonome. Nous n'avons donc guère d'autre choix que d'accepter la responsabilité d'acquérir les compétences nécessaires pour fonctionner dans le nouveau marché du travail.

Voyant que de nombreuses entreprises ont de la difficulté à combler leurs postes, faute de trouver les compétences recherchées, plusieurs personnes décident de retourner aux études afin de combler l'écart qui les sépare du marché du travail. Les taux d'inscription aux études post-secondaires ont atteint des sommets sans précédent. Or, la participation des adultes à des programmes d'enseignement augmente de pair avec les niveaux de revenus et de scolarité, et elle est la plus élevée parmi ceux dont les capacités de lecture et d'écriture atteignent déjà de hauts niveaux. Ainsi, pendant que ceux et celles qui ont déjà une formation de base acquièrent de nouvelles compétences, les personnes qui n'ont pas terminé leurs études secondaires se trouvent davantage en marge de la société. Et c'est là un tout autre débat !

?

N'existe-t-il pas des entreprises qui offrent à leur personnel des activités de formation ?

La formation structurée en entreprise est surtout orientée vers l'acquisition de compétences spécialisées afin de répondre aux exigences plus techniques du travail, exigences aussi en plein essor notamment en raison de l'introduction de nouveaux équipements informatisés et de nouvelles machines. Selon l'équipe de recherche citée précédemment, seule une très petite fraction des entreprises considèrent l'apprentissage continu comme une partie intégrante du milieu de travail et un élément essentiel de la stratégie d'entreprise. Les entreprises veulent des gens bien formés, mais elles ne sont pas prêtes à assumer elles-mêmes ce rôle puisque là n'est pas leur mandat premier. De plus, il n'est peut-être pas indiqué pour toutes les entreprises d'investir dans des programmes de formation structurés. Toutefois, pour celles qui optent pour cette avenue, on observe un lien direct entre les activités de formation et la performance des entreprises.

Les gens qui investissent dans leur propre entreprise « Moi inc. » associent la formation à toute une gamme d'avantages, y compris de meilleurs salaires, une satisfaction professionnelle accrue et une perception améliorée quant à la « viabilité » de leurs services. La formation continue, c'est plus que notre affaire, car c'est de notre vie professionnelle qu'il s'agit. Puisque aucune entreprise nous garantira un emploi à long terme, il nous revient donc d'assurer nous-mêmes « l'amélioration continue » de nos services afin qu'en tout temps nous puissions avoir le privilège de les offrir à tout autre nouveau client intéressé !

Je veux me sortir des emplois précaires et me constituer un véritable avenir professionnel. Comment puis-je faire ?

1 Trouvez-vous un projet ! Non seulement un projet professionnel qui réunit vos intérêts et aptitudes, mais aussi un projet qui aura du sens à vos yeux !

2 Investissez dans une activité de formation qui mettra ce projet en valeur.

3 Ne reculez devant rien.

4 Et, par-dessus tout, croyez en vos services, car ils sont fortement attendus sur le marché du travail des années 2000.

De nombreuses ressources, tels les conseillères et les conseillers d'orientation, sont à votre disposition pour vous aider dans le choix d'une activité professionnelle. Certains organismes et services publics peuvent même vous assister sans qu'il vous en coûte un sou.

Vous pouvez aussi consulter plusieurs ouvrages sur les carrières en bibliothèque. Le *Dictionnaire Septembre des carrières et professions* présente plus de 1500 profils. En naviguant sur Internet à l'aide d'un guide comme ICARO, un petit répertoire qui présente plus de 200 sites en carrière et en orientation, vous pourrez passer des tests d'intérêts et obtenir une information de pointe sur de très nombreuses activités professionnelles.

Enfin, vous pouvez aussi obtenir les services d'un conseiller d'orientation virtuel en consultant le site du collège Bois-de-Boulogne et des éditions Ma carrière au http://idclic.collegebdeb.gc.ca.

G gagnant-gagnant

*Une relation gagnante
est faite d'intérêts différents
qui convergent
vers un objectif commun.*

?

Je me sens souvent à la merci des employeurs lorsque je suis en recherche d'emploi. Cela m'a d'ailleurs conduit à accepter des conditions d'emploi et des postes dans lesquels je vivais de nombreuses frustrations. Mon dernier emploi, je l'ai quitté dès le deuxième mois d'entrée en fonction. Comment pourrais-je éviter de me retrouver de nouveau dans cette situation ?

Vous ne vivrez plus ce genre de situation le jour où vous aurez compris que c'est vous qui prenez la décision finale concernant votre embauche. Personne ne peut vous forcer à accepter un poste non conforme à vos besoins. Vous êtes le metteur en scène de votre vie. À ce titre, vous devez aussi la seule personne responsable de l'orientation qu'elle prendra. À tout moment, rappelez-vous que c'est par vous que les choses arrivent... ou n'arrivent pas !

Le fait de vous sentir à la merci des employeurs s'explique de différentes façons. D'un regard rapide, quelqu'un pourrait vous dire, par exemple, faites-vous confiance et commencez à vous affirmer lorsque vous êtes en présence d'une cliente ou d'un client potentiel ! Or ce commentaire ne vous aiderait guère, car il ne peut rien résoudre. Il ne suffit pas d'invoquer la confiance, l'assurance ou quoi encore, pour aussitôt voir l'une surgir en disant : « *Me voilà !* »

Le fait de ressentir une impuissance telle qu'une personne acceptera une entente qui lui est défavorable ou non gagnante, trouve son explication en revenant à la case départ de l'attitude entrepreneuriale que véhicule la recherche d'emploi des années 2000.

1 Avez-vous un projet ?

2 Ce projet vous tient-il à cœur ?

3 Pourquoi ?

Si vous répondez à ces trois seules questions avec honnêteté et transparence, vous aurez là les pistes qui détermineront le type de relation que vous êtes sur le point de sceller avec votre cliente ou client potentiel.

Si vous avez un projet et que celui-ci vous tient à cœur, vérifiez-en ensuite le pourquoi. Par exemple, si vous répondez : « *Mon projet me tient à cœur, car il faut que j'aie un salaire le plus tôt possible* », c'est alors le salaire qui vous tient à cœur, pas votre projet ! Ainsi, ce sera sur le salaire que vous établirez votre relation avec votre cliente ou client potentiel. Puisque c'est là que vous concentrez vos critères, vous ne pourrez contester les conditions qui entourent ce travail pour lequel vous serez payé. Or, nous savons déjà que le salaire est un résultat, pas un objectif. L'argent est une source de motivation éphémère. Le salaire ne peut, à lui seul, vous permettre de maintenir une relation gagnante au travail, puisque beaucoup d'autres critères entrent en jeu : l'environnement au travail, les personnes avec qui vous ferez équipe, le mandat qui vous est confié, le degré d'autonomie qui lui est relié, les responsabilités qui entrent en jeu, la signification qu'a ce travail dans votre vie, etc.

Une personne qui a le projet d'offrir ses services à titre de designer industriel auprès du marché cible des fabricants d'appareils électriques domestiques, pourrait répondre : « *Mon projet me tient à cœur, car je veux mettre à profit mes aptitudes pour la recherche et utiliser ma créativité pour conce-*

voir des produits qui amélioreront la qualité de vie des utilisateurs. »

Lorsqu'un projet est porteur d'une signification véritable, le sentiment de confiance se met aussitôt de la partie. Ce faisant, nous serons incités à questionner notre cliente ou client potentiel afin de déterminer dans quelle mesure et dans quel contexte nous pourrons mettre nos services à contribution. Jamais nous n'avancerons aveuglément ou avec la pensée que nous devons nous soumettre aux conditions des autres.

Au contraire, nous saurons que nous avons un pouvoir de décision sur ce qui occupera la majeure partie de notre quotidien. Et si nous devions faire le choix de renoncer à certains critères que nous avions établis, ce sera sans doute que nous sommes prêts, pour le moment, à faire face à ce compromis.

En jouant cartes sur table avec nous-mêmes, avant d'accepter toute relation d'affaires avec une cliente ou un client, il serait très surprenant de vivre par la suite des frustrations engendrées par un cadre de travail ou par un contexte qui ne nous convient pas. Enfin, ce que nous souhaitons ici, c'est de minimiser les chances de nous retrouver là où nous ne voulons pas être.

Une personne qui vise à faire de la recherche et à utiliser sa créativité pour concevoir des produits qui amélioreront la qualité de vie des utilisateurs, s'informera du mandat qui lui est confié, des outils techniques qui seront mis à sa disposition. Elle demandera quel sera son rôle au sein de l'équipe, les responsabilités qui lui seront confiées, le degré d'autonomie sur la production des résultats. Elle cherchera à savoir sur quels projets travaille l'équipe en place et qui la compose. Elle demandera pourquoi l'on vise à s'adjoindre une nouvelle ressource au sein de l'équipe, quels sont les problèmes majeurs auxquels elle sera confrontée, quelles sont les compétences et les attitudes premières recherchées par ce client, etc.

Autrement dit, une personne qui a un projet significatif à ses yeux s'informera dans le but de vérifier si c'est dans cet endroit, au sein de cette équipe, que son projet a les meilleures chances de s'avérer réalisable et viable. Elle deviendra une sorte de consommateur averti qui veut savoir si ce qu'elle achètera correspond vraiment à ses besoins. N'est-ce pas là l'attitude pleinement responsable d'une personne qui croit en ses services et en leur qualité ? C'est aussi, bien sûr, l'attitude d'une personne qui croit en ce qu'elle est et qui vise à investir en elle, et ce, dans les meilleures conditions possibles.

Contrairement à la perception traumatisante que nous avons d'une entrevue avec une employeuse ou un employeur, la rencontre avec une cliente ou un client potentiel est un échange d'informations qui peut s'avérer gagnant-gagnant ou non gagnant. S'il est non gagnant, c'est qu'il ne répond pas aux besoins de « l'une des deux parties », c'est-à-dire vos besoins à vous ou ceux établis par la cliente ou le client potentiel.

Vos services ne peuvent répondre adéquatement à toutes les entreprises que vous avez ciblées. Tout comme les clientes et les clients potentiels que vous avez visités ne répondront pas à tous vos propres besoins. Vous verrez des différences notoires entre eux. Chaque entreprise a sa culture, ses valeurs, ses approches et ses cadres d'intervention, sa clientèle respective, sa façon de travailler en équipe et de dynamiser le climat de travail. En visiter plusieurs est un atout important, car vous deviendrez des plus avertis.

Cessez de croire qu'il faut que vos rencontres finissent par le succès à tout coup ! Il n'y a pas d'entrevue réussie parce que le succès ne se mesure pas par le « oui » d'une employeuse ou d'un employeur. Le succès se trouve là où vous aurez pu établir une relation de type gagnant-gagnant.

Résumons maintenant l'essentiel de ce chapitre. Vous êtes un fournisseur de services intéressé à réaliser un projet qui vous tient à cœur. Votre projet a traversé les neuf étapes d'un projet orienté de façon stratégique, présenté au chapitre « P ». Vous avez ciblé votre marché, défini le territoire que vous entendez desservir et avez procédé à votre étude de marché. Cet exercice vous a permis de découvrir votre bassin de clientes et de clients potentiels. Vous êtes prêt à entrer en communication avec eux. Quel est votre but à cette étape ?

Lorsque vous entrez en communication avec vos clientes et clients potentiels, votre but ultime est de les rencontrer en personne, « pour échanger des informations pertinentes aux deux parties ». Lors de cet échange d'informations, beaucoup de choses peuvent se produire. Entre autres, vous pouvez découvrir que ce type de client potentiel ne correspond pas à l'image que vous vous faites des clientes et clients à qui il vous intéresse vraiment d'offrir vos services.

Pour mieux savoir à quoi vous en tenir, vous pouvez soulever des questions tout à fait pertinentes en puisant à même votre étude de marché. En fait, relevez ce que vous connaissez le moins concernant cette entreprise en particulier. Toutes les réponses que vous obtiendrez et qui vous permettront de mieux connaître votre cliente ou client potentiel sont des atouts indéniables. Elles serviront à nourrir votre « portfolio décisionnel ». En effet, vos questions vous permettront d'obtenir une somme d'informations fort utiles :

- savoir à quoi vous attendre si vos services sont retenus;

- comparer vos services avec les besoins de la cliente ou du client potentiel;

- déterminer si cette entreprise correspond bel et bien à vos propres besoins et critères;

- comprendre votre rôle et les attentes qui y sont associées;

- mieux connaître l'équipe de travail en place, ses orientations, ses problématiques, ses défis, ses besoins;

- déterminer si, dans cette entreprise, vous aurez les meilleures chances de mettre à profit vos services, tel que vous l'envisagez.

Dans ce cadre d'idées, une entrevue devient bel et bien un échange d'informations susceptibles de faciliter, de part et d'autre, une prise de décision éclairée de type gagnant-gagnant !

?

Selon vous, qu'est-ce qui fait la différence lors d'une entrevue ? En somme, qu'est-ce qui fait pencher la balance en notre faveur lors d'une rencontre avec une cliente ou un client potentiel ?

Les commentaires de plusieurs employeuses et employeurs nous révèlent que ce qui fait la différence entre deux offres de service lors d'une entrevue, ce sont :

- l'attitude de la personne qui présente ses services;
- l'adéquation entre l'offre de service et les besoins requis dans l'entreprise.

De leur côté, les personnes à la recherche d'un emploi affirment que ce qui fait la différence entre deux rencontres lors d'une entrevue, ce sont :

- la façon dont elles se sont senties accueillies par la cliente ou le client potentiel;
- l'image qui se dégage de l'entreprise visitée;
- la somme d'informations qu'elles retirent de l'entrevue.

Pour une relation d'emploi de type gagnant-gagnant, il est profitable d'établir votre propre grille de vérification, c'est-à-dire de définir, bien avant votre entrevue, quels sont vos besoins ainsi que les critères que vous souhaitez retrouver dans l'exercice de votre activité professionnelle. Cette grille vous permettra aussi de vérifier la présence ou l'absence des éléments qui contribuent à répondre à vos besoins.

Après chacune de vos rencontres clients, cette même grille vous aidera à réfléchir de façon à prendre une décision éclairée en ce qui concerne votre intérêt à contribuer aux activités de l'entreprise visitée. Que vous sachiez ou non si l'on vous offre le poste, votre grille de vérification vous permettra de vous faire votre propre opinion sur le sujet. Et c'est là ce qui compte le plus : votre opinion !

?

Je ne l'ai jamais fait, mais je sais que certaines personnes acheminent une lettre de remerciement après avoir été reçues en entrevue. Qu'en pensez-vous ?

À la suite d'une rencontre client qui a répondu à vos besoins et à vos critères, il est très pertinent d'acheminer un « merci-gramme » par télécopieur. En effet, il s'agit d'une simple petite note dans laquelle vous pouvez, entre autres :

- remercier pour le temps que l'on vous a consacré;
- réitérer votre plaisir de leur offrir vos services;
- souligner votre appréciation face à certaines informations reçues;
- mettre en valeur l'accueil qui vous a été fait.

Ce geste est apprécié, car il met en relief une attitude professionnelle et entreprenante. Étant donné que peu de gens le font, c'est aussi une façon de vous démarquer de votre concurrence, dans le cas où votre cliente ou client potentiel hésiterait entre vos services et ceux d'une autre personne.

Or, il ne faudrait pas procéder à un tel envoi de façon systématique. Il va sans dire que vous n'acheminerez pas une telle note si votre rencontre client vous a laissé modérément enthousiaste. À quoi donc cela servirait-il ? Les gestes non significatifs deviennent des actes bureaucratiques. Sachons donc investir nos énergies là où il y a du sens !

Hhiérachie : oubliez ça !

?

À quoi pouvons-nous nous attendre en matière de relations « supérieur immédiat-employé » sur le marché du travail des années 2000 ?

Comme j'en reparlerai au chapitre « M », les patrons d'hier deviennent des « coach » dans les entreprises des années 2000. Quant aux « employés », ils deviennent plutôt des « membres d'équipe » ! Le système hiérarchique que nous avons connu au XXe siècle est quelque peu révolu. Sans doute en reste-t-il encore quelques formes dans les réseaux publics. Mais là aussi, ça change.

La plupart des entreprises ont allégé leurs structures hiérarchiques pour être plus fonctionnelles et pour pouvoir rapidement s'adapter aux changements. Les défis sont de taille dans les entreprises des années 2000. En conséquence, pour faire face à la somme de travail à réaliser, les entreprises font éclater les descriptions de fonctions traditionnelles. Les tâches sont de moins en moins définies et il est de moindre importance de mettre un titre sur un poste.

Les postes dans les entreprises se transforment en « missions » autour desquelles une ou plusieurs équipes orientent leurs activités. Cela n'est pas sans poser certains problèmes de nature syndicale, mais là aussi les façons de faire, de voir et de penser évoluent.

Nous ferons désormais l'aventure du travail avec des repères mieux adaptés à la réalité dans laquelle nous sommes : face à une ère technologique, fondée sur l'économie du savoir dans un contexte de mondialisation, et où la compétitivité des entreprises dépend de notre valeur ajoutée collective, l'« employé » et le « patron » d'hier ne sont plus d'aucune utilité.

Des hiérarchies complexes, des descriptions de postes très précises, tout cela avait un sens à l'ère industrielle. Dans un environnement où l'information circule à une vitesse incroyable, les structures, les hiérarchies et les tâches précises et claires n'ont plus leur place.

S'accrocher aux paramètres de l'ancien millénaire, c'est comme attacher les feuilles d'automne aux arbres avec du ruban adhésif. Il faudra bien admettre qu'elles tomberont, malgré tout !

Dans les entreprises des années 2000, chaque membre d'équipe devient un décideur. On n'attend plus les ordres. Bien sûr, les personnes doivent connaître la vision de l'entreprise pour savoir vers quoi mobiliser leurs énergies. Elles ont aussi un cadre dans lequel évoluer et qui leur permet d'évaluer leurs activités. Elles savent vers quel marché cible concentrer leurs efforts et à quel type de clientèle leur entreprise est dédiée. Le budget attaché à l'activité d'une équipe trace, à lui seul, plusieurs des balises entourant l'exercice du travail, sans parler des échéanciers à respecter. À l'intérieur de tout cela, les décisions appartiennent à l'équipe.

?

Je termine un D.E.C. en techniques de génie mécanique. Je serai donc bientôt prêt à intégrer le marché du travail et j'aimerais savoir à quoi ressemble une entreprise performante.

Premièrement, une entreprise performante n'est plus une entreprise importante. C'est celle qui peut desservir son marché avec le moins de ressources possible. Une entreprise performante, c'est donc une entreprise dont la structure est orientée vers un régime minceur. Étant plus mince, elle est plus souple. Elle évite donc de bureaucratiser, car elle sait que cela ralentit ses activités en plus de les engorger.

Deuxièmement, une entreprise performante est collée aux besoins du client parce qu'elle sait que sans clients, elle ne peut survivre. Et cela, chaque membre formant ses équipes le comprend bien car, sans clients, leur propre rôle disparaît aussi.

Enfin, une entreprise performante est celle qui opte pour la sous-traitance et qui développe des alliances stratégiques avec de nombreux partenaires, car elle a compris qu'en faisant cavalier seul, elle n'arrivera à rien.

investissement

Investir dans Moi inc.,
c'est faire fructifier son employabilité !

?

Lorsque notre projet est défini, combien de temps faut-il compter, en moyenne, pour intégrer le marché du travail ?

Tout dépend du temps que vous investissez dans la réalisation de votre projet. Vous savez sans doute qu'un investissement à temps partiel rapporte des résultats partiels.

Si vous réalisez votre projet tel un entrepreneur, vous ne vous préoccuperez du temps que pour vous en faire un allié stratégique. L'entrepreneur qui travaille à la mise en marché de ses produits ou services utilise le temps comme un échéancier. Le temps devient donc un outil de travail, un point de référence qui guidera ses démarches et chacune de ses actions.

Ainsi, ne faites pas du temps une mesure d'intégration au marché du travail. Servez-vous-en plutôt comme un guide méthodique qui assurera une gestion proactive de vos démarches.

Chaque semaine renferme cinq jours d'investissement. Chaque jour est divisé en deux périodes de travail : matin (A.M.) et après-midi (P.M.). Ces cinq jours et ces dix périodes ont leurs objectifs respectifs.

À quoi investirez-vous votre temps, de façon stratégique, dans chacune de ces périodes ?

Selon où vous en êtes rendu dans la mise en œuvre de votre projet, il est possible que votre planification du temps à l'égard d'une semaine de dix périodes puisse ressembler à celle-ci :

LUNDI	
A.M.	Planification de la semaine et recherche d'infomations sur Internet et dans les médias
P.M.	10 contacts réseau
MARDI	
A.M.	Envoi d'informations concernant mes services
P.M.	Recherche sur mon marché
MERCREDI	
A.M.	10 contacts parmi mon bassin de clients potentiels
P.M.	Envoi d'informations concernant mes services
JEUDI	
A.M.	Suivi des informations ayant été acheminées
P.M.	10 contacts parmi mon bassin de clients potentiels
VENDREDI	
A.M.	Rencontres clients
P.M.	Bilan des démarches et ajustement du projet

L'organisation de votre temps n'est pas statique, et heureusement ! Chaque semaine variera en fonction des informations recueillies et des contacts établis durant la semaine précédente, et ainsi de suite. Dans toute organisation du temps, il est facile de compter 35 % d'imprévus : retour d'appels de vos clients potentiels, rencontres clients, identification d'une piste, obtention de nouvelles informations, etc. Ces imprévus vous conduiront inévitablement à modifier l'orientation de votre projet et à réorganiser votre emploi du temps d'une semaine à l'autre.

Votre bilan du vendredi après-midi vous permettra, quant à lui, d'évaluer si votre projet est dans la bonne direction. Quels que soient vos acquis (positifs ou négatifs) de la semaine, sachez qu'ils vous permettent de réaliser une somme incroyable d'apprentissages. Si les résultats de la semaine ne sont pas à la hauteur des objectifs que vous

vous étiez fixés, au lieu de sombrer dans le négativisme, posez-vous la question :

◯ *Qu'est-ce que cette semaine m'a permis d'apprendre sur moi-même et à l'égard de mon projet ?*

Cette évaluation enrichira vos démarches pour la semaine à venir, car chaque apprentissage que vous réalisez devient un investissement à l'orientation entrepreneuriale de votre projet. Un bilan de résultats négatifs est, en quelque sorte, un test de motivation. En conséquence, faites ce que ferait l'entrepreneur : relevez le défi !

?

Je veux un emploi, mais j'ai beau envoyer des tonnes de C. V. partout, ça ne fonctionne pas. Y en a pas de *job* !

Plusieurs personnes qui songent à lancer une entreprise mettent rapidement cette idée de côté en concluant : « *Je n'ai pas d'argent à investir !* » Le problème est que ces personnes font du lancement d'une entreprise leur véritable projet. Mais quel est donc leur projet ? Plusieurs hésitent parce qu'ils ne sont pas rendus à l'étape de lancement. Ils en sont au stade de la recherche d'une idée de projet. Tant que le projet n'est pas énoncé, il est impossible d'avancer. Ainsi, les personnes qui n'ont pas de projet réalisable et viable font de l'argent un faux prétexte, puisque l'investissement véritable se trouve dans :

◯ la recherche d'un projet réalisable et viable;

◯ la maîtrise des connaissances, des compétences et des attitudes requises à la réalisation du projet;

◯ la recherche d'informations pertinentes à ce projet;

◯ l'identification d'un marché cible et du bassin de clientes et de clients potentiels;

◯ la réalisation entreprenante de ce projet qui trouvera sa place sur le marché du travail parce qu'il répond aux besoins d'une clientèle ciblée.

Il en est de même pour un emploi. Plusieurs des gens qui affirment « chercher un emploi » cherchent un résultat qui dépend d'une cible véritable et d'un plan d'action préalable. Cessez donc tout de suite d'envoyer des C.V. partout et travaillez à nourrir votre projet et à l'accompagner d'une stratégie. Votre travail, en ce sens, modifiera radicalement votre façon de considérer le marché du travail. Laissez-vous guider sur ce point par les chapitres « P », « C », « V » et « S ».

?

Est-ce réaliste de miser essentiellement sur Internet pour effectuer une recherche d'emploi ?

Est-ce réaliste de miser essentiellement sur les offres d'emploi apparaissant dans les journaux ? Une recherche exclusive sur Internet donne les mêmes résultats qu'une recherche exclusive dans les journaux. C'est ce que nous appelons l'attitude 6/49 de l'intégration au marché du travail.

Un entrepreneur dont le projet est d'offrir des services de réfrigération et de climatisation considérera plusieurs avenues différentes afin de faire valoir son projet. Le seul fait de mettre une annonce sur Internet ne lui permettra pas de communiquer avec l'ensemble de son marché. Il entrera en contact seulement avec les personnes qui utilisent Internet pour obtenir des informations sur les services offerts dans ce domaine. Même les « cyber-magasineurs » se limiteront eux-mêmes, car ce ne sont pas toutes les entreprises en réfrigération et en climatisation qui utiliseront Internet pour faire valoir leurs services.

Ainsi, le fait d'offrir vos services sur Internet ou de consulter les banques d'offres d'emploi vous permettra de communiquer uniquement avec le pourcentage d'employeurs qui utilisent ce réseau pour afficher leurs besoins. Il faut investir dans plus d'un endroit à la fois, un peu comme les gens le font lorsqu'ils achètent des actions. Ce n'est pas toujours celles que l'on croyait les meilleures qui rapportent le plus. En diversifiant ses investissements, on s'assure un meilleur rendement. C'est la somme des avenues et des approches utilisées qui rendra vos services visibles.

Bien souvent, les gens se donnent bonne conscience en affirmant : « *J'ai fait le tour des journaux, mais il n'y a rien.* » Ils veulent plutôt dire : « *Je veux bien travailler, mais ce n'est pas ma faute s'il n'y a rien dans les journaux !* » Cette attitude de déresponsabilisation est davantage un comportement de fuite qu'une attitude de recherche d'emploi. C'est parfait si vous ne tenez pas vraiment à travailler. Or, à l'inverse, dites-vous qu'aucun entrepreneur ne prendra le risque de mettre tous ses œufs dans le même panier, et ce, pour l'unique raison qu'il a drôlement hâte de servir ses clients ! Passez en revue votre portefeuille d'actions en vous reportant à l'exemple qui suit :

J'offre mes services à titre
de technicienne en comptabilité.

- J'ai ciblé mon marché.

  Bien que dans la plupart des entreprises on trouve des gens qui s'occupent de la comptabilité, je cible les entreprises de comptables agréés de la région de Laval et des Laurentides. En effet, j'aimerais travailler de concert avec un comptable agréé pour apprendre et pour maîtriser tous les rudiments de la comptabilité parce que je vise, un jour, à offrir mes propres services en tenue de livres aux travailleurs autonomes. Je sais que j'aurais pu tout aussi bien offrir mes services à l'industrie de l'alimentation, car ce secteur me passionne particulièrement. Mais j'ai un objectif en tête et je veux aller jusqu'au bout de mon projet principal. Je place le secteur de l'alimentation comme étant mon plan « B », au besoin.

- J'ai relevé les noms de tous les comptables agréés sur un territoire précis à partir du bottin des pages jaunes de Laval. Puisque je n'ai pas de bottin pour la région des Laurentides, je consulte les pages jaunes de cette région sur Internet: www.pagesjaunes.ca

- Je communique avec chacun de mes clients potentiels et je parle à la « bonne personne ». Dans mon cas, c'est l'associé principal de la firme.

- J'ai un scénario de présentation téléphonique dans lequel j'explique les services que j'ai à offrir et je souligne mon intérêt de rencontrer ce client potentiel afin de mieux faire valoir mes connaissances, mes compétences et mes attitudes professionnelles.

- J'achemine mon offre de service à la « bonne personne », si celle-ci ne peut me rencontrer dans l'immédiat.

- Je fais un suivi téléphonique rapide après avoir acheminé mon offre de service afin de m'assurer de sa réception, d'obtenir une rétroaction constructive sur le contenu de mon offre de service et de demander quand je peux rappeler mon client potentiel pour vérifier sa disponibilité quant à une rencontre.

- J'utilise mon réseau, tel que présenté au chapitre « R ».

- Je visite les foires de l'emploi, les divers salons portant sur les carrières et je participe à des colloques.

- J'offre mes services sur Internet et consulte les offres qui figurent sur les sites répertoriés dans ICARO ou ailleurs. Par l'infobourg de la carrière et de l'orientation (http://carriere.infobourg.qc.ca), je peux être en lien direct avec plusieurs sites affichant des offres d'emploi.

- Je consulte les guichets d'emplois dans mon centre local d'emploi ou sur Internet: http://emploi.mss.gouv.qc.ca.

- Je consulte les journaux et les périodiques reliés à mon domaine d'activité.

- Je participe à des groupes de discussion par voie électronique qui rejoignent des professionnels de la comptabilité.

- Je m'informe des activités des jeunes chambres de commerce.

Épuisant, tout ça ! direz-vous. Je vous répondrai plutôt que c'est mobilisant et responsabilisant. En fait, plus vous serez au cœur de l'action entourant votre projet, plus vous aurez de l'emprise sur les résultats. C'est le meilleur moyen de ne pas attendre la 6/49 avant de réaliser pleinement ce qui vous tient à cœur. Nul doute qu'en assurant un maximum de visibilité à vos services, votre projet sera fier de vous avoir comme promoteur !

?

J'ai beaucoup investi sur le plan professionnel. Trop peut-être, car j'ai récemment été licencié et je vis beaucoup d'amertume. J'aurais dû en faire moins et penser davantage à moi.

Il est très rare que l'investissement sur le plan professionnel devienne un préjudice. C'est souvent du côté de la façon de vous investir qu'il vous faut regarder pour expliquer votre sentiment d'amertume. Investir ne veut pas dire tout sacrifier ou attribuer une valeur exagérée à votre rôle au sein d'une entreprise. Investir sur le plan professionnel consiste à miser sur une utilisation optimale de vos compétences en faisant en sorte que celles-ci se développent graduellement en fonction des nouvelles tendances et des nouveaux besoins de l'heure, et ce, dans le respect de vos limites. Il importe donc de garder un jugement critique sur la façon dont vous investissez :

- Est-ce que j'investis aux bons endroits ?
- Est-ce que je m'occupe de miser sur la qualité continue de mes services ?
- Est-ce qu'on m'a déjà dit que telle façon de faire ou telle action n'était pas tout à fait nécessaire ?
- Est-ce que d'autres dimensions de ma vie souffrent de mon investissement sur le plan professionnel ?
- Est-ce que mon investissement, côté professionnel, gruge mes énergies ou est-ce qu'il donne de l'élan à ma carrière ?
- Chaque fois que j'investis dans un projet, qu'est-ce que cela me rapporte ?
- Est-ce que j'attends que mon travail me rapporte de la considération ou est-ce que j'ai de la considération à l'égard de mes services ?

Examinez les motivations fondamentales qui guident votre comportement et vos attitudes face au travail. Demandez-vous pour quelles raisons vous faites les choses et ce que vous vous attendez en retour. Le sentiment d'amertume face à un trop-plein d'investissement trouve souvent réponse dans les attentes parfois irréalistes que nous entretenons à l'égard de notre vie professionnelle.

Étant donné les nombreuses exigences du marché du travail des années 2000, il y a de quoi vouloir s'enfuir et rester sur l'aide sociale à vie !

En effet, si c'est là votre projet ! Or, les nombreuses exigences nous révèlent tout autre chose. Le marché du travail nous signale qu'on a un besoin urgent de connaissances, de compétences et d'attitudes nouvelles afin que notre pays soit compétitif et puisse le demeurer sur le plan mondial. Ceci, pour l'unique raison que si le marché du travail des années 2000 ne peut relever le défi de la concurrence, non seulement serons-nous massivement nombreux à grossir les rangs des bénéficiaires de l'aide sociale, mais aussi, et surtout, nous ne pourrons plus nous permettre d'avoir un tel système d'aide.

À notre façon, nous sommes tous le maillon de la réussite sociale et économique de notre pays et, par ricochet, de la nôtre. Devant la somme de défis qui guettent la plupart des pays dans le monde, il serait utopique de s'attendre à ce que les choses soient simples et faciles pour quiconque aspire à intégrer le marché du travail, puisque les enjeux y sont nombreux.

Le marché du travail des années 2000 compte sur nous pour que notre pays puisse rester dans la course, de façon que chacun de nous puisse bénéficier des avantages collectifs et individuels que seul peut offrir un pays concurrentiel. Sur ce point, il n'y a plus aucune différence aujourd'hui entre les chefs d'entreprises et les personnes qui visent à intégrer le marché du travail. Nous sommes tous conviés à répondre à une même question : souhaitons-nous, oui ou non, rester dans la course ?

?

Comment investir autant dans notre carrière alors qu'il faut investir tout autant dans notre vie familiale, affective et sociale ? N'est-il pas forcément probable qu'une de ces dimensions en souffrira ?

Je me reporte souvent aux lois qui gouvernent la nature pour faire des liens avec la vie professionnelle, car il y a là de grandes ressemblances. L'équilibre naturel, malgré sa force apparente, est, en somme, très fragile. De nombreuses forces et tensions dynamisent son activité. Par exemple, si un seul niveau de la chaîne alimentaire venait à s'éteindre, c'est toute la chaîne alimentaire qui serait affectée, jusqu'à mettre en péril la survie même de notre propre espèce. Connaissant les lois de l'équilibre naturel, de nombreux environnementalistes s'évertuent à « éduquer » la population et les décideurs nationaux et internationaux sur l'importance de veiller à préserver ce fragile équilibre.

Les nombreuses forces et tensions qui animent notre vie nous rappellent l'importance de maintenir un équilibre dynamique entre chacun des maillons formant notre propre écosystème. La vie professionnelle est l'un de ces maillons, au même titre que notre vie familiale, affective et sociale. Si nous avons parfois l'impression qu'une telle harmonisation relève de l'art, rappelons-nous qu'il suffit de demeurer conscients que nous sommes plus que la somme de nos parties. Ce faisant, nous serons plus vigilants face à chacun de nos choix et il nous sera ainsi possible de réajuster, en cours de route, nos comportements et attitudes afin de préserver un équilibre dynamique entre chacune des dimensions de notre vie. C'est un travail en soi ! me direz-vous. Je pourrai alors et uniquement vous répondre que ce travail est directement proportionnel à ce qui vous tient à cœur de vouloir préserver.

jongler avec les chiffres

$$(3/4 \; ab^2c - 1/2 \; a^2bc) + (5/8 \; a^2bc - 1/4 \; ab^2c) - (a^2b^2)$$
Ça fait combien ?
Pas assez, crois-moi !

?

L'entreprise pour laquelle je travaille a récemment opté pour un programme de réduction des heures de travail sur quatre jours au lieu de cinq. *A priori*, plusieurs personnes comme moi étaient contre. Sauf que je me rends compte que mon salaire hebdomadaire n'en souffre pas tellement, si l'on considère tout ce que j'épargne pour une journée où je n'ai pas à me rendre au travail.

En effet, nous accordons beaucoup d'importance au travail à temps plein. Il va de soi que cela dépend toujours de nos priorités. « Toute chose étant égale par ailleurs », vous dirait un économiste, un jour de moins la semaine et vous venez d'économiser du temps et des frais de transport, des frais de lunch, ainsi qu'une partie de vos préoccupations vestimentaires. Mais seule l'économie n'est pas suffisante. Il faut aussi considérer tout ce que vous gagnez en temps disponible que vous pouvez consacrer aux autres dimensions de votre vie.

Les chiffres parlent souvent d'eux-mêmes et nous guident vers une juste proportion des choses. Les augmentations de salaire, tout comme le niveau de salaire lui-même, sont parfois un leurre lorsque l'on se réfère aux tables de la fiscalité. Lorsqu'on s'en tient uniquement à un chiffre ronflant, on oublie de considérer tout ce qu'il nous en coûte pour vivre avec ce chiffre. Dépassé un certain seuil, un salaire peut rapidement devenir une dépense fort coûteuse. Un plus petit salaire, cumulé à des avantages non monnayables, peut parfois rendre notre vie bien plus agréable ! Jonglez avec les chiffres, vous verrez bien !

Je vise à offrir mes services à temps partiel, car je ne veux pas d'un travail à temps plein. Est-ce que je ne risque pas d'éloigner ma candidature à plusieurs endroits ?

Le travail à temps partiel, tout comme le travail à forfait et le travail autonome, fait désormais partie de ce que l'on appelle les nouvelles formes de travail en évolution. Selon l'Enquête sociale générale de Statistique Canada, 286 200 personnes occupaient un emploi temporaire au Québec en 1994, soit 10,4 % de l'emploi total. Entre 1989 et 1994, la croissance de l'emploi temporaire a été de 16 % au Québec. Ce taux est cependant beaucoup plus faible que ceux de l'Ontario et du Canada qui ont atteint respectivement 46 % et 32 %. De plus, c'est chez les hommes, au Québec, que l'augmentation de l'emploi temporaire a été la plus forte. Ce qui est un changement assez radical, puisque cette forme de travail était traditionnellement l'apanage des femmes.

La croissance de l'emploi temporaire est plus rapide que celle de l'emploi permanent qui n'a été que de 3,8 % au Québec, de 1989 à 1994. Ce qui est tout de même excellent, puisque, dans cette même période, la croissance de l'emploi en Ontario chutait de 3,6 %. Il semble toutefois que l'emploi temporaire soit davantage involontaire qu'un choix délibéré. En 1989 comme en 1994, 76 % des personnes qui occupaient un emploi temporaire au Québec ont déclaré qu'elles préféreraient occuper un emploi permanent. Ainsi, votre projet de travail à temps partiel sera conforme aux 24 %

des personnes satisfaites de cette forme de travail et qui l'ont choisi pour les raisons suivantes : maladie ou incapacité, obligations personnelles et familiales, études ou choix délibéré de vouloir travailler à temps partiel. En conséquence, ces informations chiffrées vous signalent que votre choix personnel est tout à fait en accord avec le marché du travail des années 2000.

?

J'aime bien parler en fonction d'efficacité et de rendement. Ainsi, lorsqu'on se réfère à l'activité de recherche d'emploi, quel est le ratio entre le nombre d'appels téléphoniques et les possibilités d'entrevues ainsi que le nombre d'entrevues et les possibilités d'emploi?

J'aimerais bien contenter votre soif de statistiques en vous disant qu'après quatre entrevues, vous aurez une offre ou qu'après 25 appels téléphoniques, vous obtiendrez trois entrevues, mais là n'est pas mon style d'argumentation préféré pour motiver votre recherche d'emploi. On peut faire dire aux chiffres ce que l'on veut. Un ami comptable me disait : *« Tu auras beau aligner tous les chiffres que tu veux, ça ne restera que des chiffres. L'important est de savoir ce que tu veux faire avec ! »*

Je vous renvoie donc la question : que voulez-vous faire avec ces chiffres ? Vous voulez vous démotiver, après vous être rendu compte que vous avez dépassé le nombre moyen d'appels téléphoniques sans avoir obtenu une seule entrevue ? Au contraire, voulez-vous peut-être contester ces chiffres après avoir fait la preuve qu'il ne vous a suffi que de deux entrevues pour obtenir un emploi ? Enfin, si vous ne savez pas vraiment ce que vous voulez faire de ces chiffres, oubliez-les ! Ils sont un point de référence trompeur et, entre vous et moi, pas très utiles à l'orientation qualitative de votre intégration au marché du travail.

D'une personne à l'autre, comme d'un projet à l'autre, les résultats sont sujets à de très nombreux facteurs : nature du projet, marché ciblé, stratégie utilisée, contacts privilégiés, suivi effectué, imprévus, disponibilité des clientes et clients potentiels, nature des besoins à combler, caractéristiques spécifiques à un poste donné, degré de compatibilité interpersonnelle, impératifs organisationnels, conditions entourant un poste, etc. Vous noterez que parmi cette liste de facteurs se trouvent ceux sur lesquels vous avez beaucoup de pouvoir et ceux sur lesquels vous en avez peu. Or, si vous investissez vos énergies là où il faut, il ne fait nul doute que vous aurez un terrain propice pour fixer vos propres repères d'efficacité et de rendement.

Monsieur Pareto, célèbre sociologue et économiste italien, peut donc nous être utile ici. Vous remarquerez que la liste des facteurs énoncés précédemment débute avec la « nature du projet » parce que tout part de là. Nous pouvons ainsi prétendre que 20 % du temps consacré à des choix ciblés ou stratégiques orientera 80 % de vos possibilités d'intégration au marché du travail. Or de nombreuses personnes craignent de diminuer leurs chances d'intégrer le marché de l'emploi si elles font des choix ciblés. Pourtant, la majorité des activités de notre quotidien sont faites de choix. En affirmant ne pas vouloir se limiter, les personnes qui n'osent pas orienter efficacement leur projet, en procédant à des choix judicieux, se dirigent vers de nombreuses limites. En conséquence, si vous aspirez à faire en sorte que les choses arrivent tel que vous les souhaitez, fixez-en les paramètres et définissez vos propres critères. Les chiffres tourneront alors en votre faveur !

kilos connaissances

Ce n'est pas dans je ne sais quelle retraite
que nous nous découvrons :
c'est sur la route, au milieu de la foule,
chose parmi les choses,
homme parmi les hommes.

Jean-Paul Sartre

?

On dit qu'il est important de bien se connaître lorsqu'on vise à intégrer le marché du travail. Par où est-il plus facile de commencer ?

J'aime bien la façon dont vous posez votre question. Par où est-il plus facile de commencer lorsque nous savons pertinemment que la connaissance de soi peut signifier tant de choses et peut se vivre de tant de façons différentes ? En ce qui concerne la recherche d'emploi des années 2000, j'aime bien me référer au terme « kilos connaissances » puisqu'il s'agit non seulement de bien vous connaître ou de garder vos connaissances à jour dans votre domaine d'activité, mais aussi de garder votre esprit ouvert et alerte dans de multiples sphères indépendantes de la vôtre. Ceci peut paraître un peu paradoxal, car indéniablement, l'activité de recherche d'emploi nous invite à parler de nous-mêmes, à faire le point sur les services que nous voulons offrir, à passer en revue nos connaissances, nos compétences et à faire l'examen de nos attitudes. En fait, il est impossible de mettre de côté la connaissance de soi, c'est-à-dire de ses intérêts, de ses aptitudes et de sa personnalité si l'on veut préciser ce projet qui nous tiendra à cœur et à travers lequel offrir nos services avec esprit d'entreprise.

En conséquence, sans diminuer l'importance du temps qu'il importe de consacrer à la connaissance de soi-même, je reste d'avis que le meilleur moyen pour apprendre à se connaître, c'est de chercher à comprendre autrui. Ainsi, lorsque je parle de « kilos connaissances », je me rapporte à un ensemble de connaissances toutes aussi valables les unes que les autres et qui faciliteront non seulement notre intégration au marché du travail, mais aussi notre façon de vivre l'aventure du travail. Ces « kilos connaissances » sont regroupées ainsi :

Connaissance de nos valeurs et de nos besoins

Nos valeurs et nos besoins renferment des motivations profondes qui guident notre aptitude à entreprendre. Chose surprenante, plusieurs personnes les mettent de côté lorsqu'il est question de travail, craignant des répercussions négatives sur leurs chances d'intégrer le marché du travail. Si, pour certaines personnes, le travail est synonyme de « métro-boulot-dodo », pour d'autres, il est une occasion extraordinaire de s'engager, d'apprendre, de grandir et de réaliser leur potentiel. On entend souvent parler de qualité de vie au travail. On croit parfois, et à tort, que la qualité, c'est de travailler dans une entreprise renommée ou de bénéficier d'un gros salaire. La qualité de vie au travail débute par le respect de nos besoins et de nos valeurs. Les entreprises n'ont pas le rôle de combler nos attentes. Elles ne travailleraient qu'à cela et ce ne serait guère lucratif. Il nous revient donc de préciser nos besoins et nos valeurs et de leur accorder l'importance qu'ils méritent lorsque le moment sera venu d'évaluer si nous devons, oui ou non, accepter d'engager nos services auprès de telle cliente ou de tel client potentiel. Voici une liste non exhaustive de besoins et de valeurs que certaines personnes jugent importants de retrouver ou de préserver à travers l'exercice de leur travail :

- nourrir mon goût de l'aventure;

- entretenir mon goût du beau, de l'esthétique;

- avoir le besoin d'appartenir à un groupe;

- exprimer ma créativité;
- trouver des solutions à des problèmes;
- avoir un travail diversifié;
- participer aux décisions;
- m'investir dans ma communauté;
- faire preuve d'esprit compétitif;
- sentir que je maîtrise ce que je fais;
- avoir la possibilité d'innover;
- faire un travail en accord avec mes principes moraux;
- savoir que je suis compétent;
- travailler dans un environnement structuré;
- sentir que je peux influencer les autres;
- respecter des échéanciers serrés, faire face à des situations d'urgence;
- faire un travail qui me tient à cœur;
- réaliser des choses qui ont des répercussions sociales;
- travailler dans la tranquillité ou seul;
- être reconnu comme un expert dans mon domaine;
- faire preuve de leadership;
- accroître mes compétences et mes connaissances;
- faire place à mes activités personnelles;
- apporter service et soutien aux autres;
- planifier et organiser des projets ou des mandats;
- avoir la possibilité de travailler physiquement;
- mettre à profit mon sens de l'humour;
- ne pas me prendre au sérieux, avoir du plaisir dans ce que je fais;
- travailler avec minutie, patience;
- être en position de diriger une équipe;
- influencer le chiffre d'affaires;

- être en contact avec le public ou la clientèle;
- respecter et ressentir le respect;
- partager avec autrui des objectifs communs;
- trouver une certaine stabilité;
- ressentir de la fierté ou savoir que mes proches sont fiers de moi;
- aller à mon rythme;
- travailler avec des gens qui communiquent et collaborent;
- mettre à profit mon sens de la recherche;
- pouvoir me concentrer sur des situations, des projets;
- sentir que mon travail a du sens;
- avoir la responsabilité d'un projet;
- faire un travail qui soit utile aux autres.

Connaissance de notre environnement immédiat

On soulève ici l'importance de connaître les besoins et les limites des personnes qui nous sont proches, car dans les moments difficiles ou plus exigeants de notre parcours professionnel, ce sont elles qui absorbent souvent les contrecoups. Si leur soutien est cher à notre intégration au marché du travail, il le restera tout au long de notre aventure professionnelle. Or, bien les connaître nous aidera aussi à accepter leurs limites et apprendre à doser nos attentes.

- Qui compte sur moi ?
- Sur qui puis-je compter ?

Connaissance des autres en tant que réseau d'échanges

Nous avons tous un réseau de contacts que nous développons au fil de notre vie, tant sur les plans personnel que professionnel. Or, nous connaissons ces personnes de façon si superficielle que nous nous privons de multiples occasions d'échanger de façon constructive. Chaque personne que nous côtoyons sur une base régulière, ou même occasionnelle, est une personne à découvrir. Chacune d'elles est riche de sa propre histoire et d'une expérience qui nous fait souvent défaut. Apprendre à mieux connaître ces personnes s'avère non seulement riche d'enseignements, mais aussi riche d'une possibilité de tisser des liens sincères et durables avec autrui. Dans les années 2000, on ne peut plus faire cavalier seul. On a tous besoin les uns des autres pour mieux vivre l'expérience du travail:

- Est-ce que je m'interroge sur les besoins des autres ?

- Est-ce que j'ai l'impression de tenir des échanges véritables avec les autres ou n'est-ce que des échanges « polis » ?

- Est-ce que je m'informe de ce qu'une personne aime particulièrement dans son travail ?

- Est-ce que je suis un « preneur » ou un « donneur » ?

- Est-ce que j'écoute vraiment quand quelqu'un me parle ?

- Est-ce que j'accorde de la place aux autres dans mes échanges ?

- Est-ce que je prends le temps d'accorder à l'autre l'attention qu'il mérite ?

- Est-ce que je tiens à vivre dans l'isolement tout au long de ma vie professionnelle ?

- S'il n'y avait pas tous ces gens qui font l'univers professionnel, quelle valeur aurait mon travail ?

- Et si je devais être le dernier être sur terre, quelle importance aurait ma vie ?

Connaissance du marché cible que nous visons à atteindre

Afin de vous éviter une relecture probablement superflue, vous trouverez, aux chapitres « C », « S » et « P », une abondante explication sur l'importance stratégique de bien connaître votre marché pour la réussite de votre projet.

Connaissances générales et génériques

Bien que le marché du travail soit à l'ère des spécialisations dans plusieurs champs d'activités professionnelles, les connaissances générales sont d'une très grande utilité dans un contexte où nos échanges se sont mondialisés. Apprendre à connaître de nouvelles cultures et de nouveaux pays nous empêche bien souvent de juger trop rapidement. Apprendre à connaître notre environnement naturel et ses écosystèmes nous aide à mieux les respecter. Apprendre à connaître l'histoire de notre pays permet de mieux comprendre ses contradictions actuelles, ses conflits ou ses mérites, et nous place en meilleure position pour mieux le faire connaître aux autres. Pendant ce temps et dans plusieurs entreprises, on déplore le manque de connaissances génériques des professionnels issus des domaines techniques. Les compétences techniques sont là, mais on souligne combien les gens sont peu familiarisés avec les conditions entourant la vie dans les organisations. Le fait de s'intéresser au fonctionnement « organique » des entreprises, comprendre leurs enjeux ou apprendre ce qu'est une culture organisationnelle devient une « valeur ajoutée » à notre « portfolio » professionnel. Tout en s'enrichissant elle-même, une personne qui s'ouvre à d'autres horizons que les siens fait preuve de beaucoup plus de souplesse face à son environnement et tend à harmoniser davantage ses comportements et ses attitudes face à sa vie professionnelle. Ces quelques questions vous permettront de connaître votre ouverture sur le monde.

- Avez-vous plusieurs sujets d'intérêts autres que ceux reliés au domaine professionnel ?

- Prenez-vous le temps de vous intéresser à l'actualité internationale ?

- Que lisez-vous ?

- Lorsque vous communiquez sur Internet avec des personnes de pays étrangers, vous informez-vous de leurs coutumes, de leur histoire ?

- Quelles émissions télévisées préférez-vous ?

- Vous intéressez-vous à l'actualité économique ou à celle du monde des affaires ?

Avez-vous déjà songé à ajouter à vos compétences techniques une formation complémentaire en administration, en relations industrielles, en économie ou en sociologie du travail ?

Connaissances et mises à jour dans notre champ d'activité professionnelle

Il est nécessaire d'être à l'affût de l'information qui circule dans votre champ d'activité afin de vous assurer que vos services demeurent concurrentiels. Si vous avez lu le chapitre « F », vous savez déjà combien il est important de miser sur le perfectionnement et sur l'acquisition de nouvelles connaissances et compétences tout au long de votre vie professionnelle dans des activités de formation continue. Si cette lecture n'est pas encore faite, je vous invite à en découvrir le bien-fondé.

laver ses croyances

*Toute chose en laquelle vous croyez constitue une vérité
ou est en voie de le devenir !*

John Lilly

?

J'ai souvent l'impression que je ne réussirai pas à atteindre mes objectifs. À d'autres moments, je sais pourtant que je peux y arriver. Comment puis-je faire pour rester optimiste face à mon intégration sur le marché du travail ?

La seule façon est de nourrir vos croyances positives, c'est-à-dire ces moments où vous croyez que vous pouvez y arriver. Quant à vos impressions négatives, la meilleure façon de les chasser, c'est d'éviter de leur accorder une importance qu'elles n'ont pas.

Une croyance, c'est le fait de croire à une vérité, bonne ou mauvaise; c'est ce à quoi vous croyez et qui a pour effet de moduler votre personnalité. Nos croyances créent notre réalité. Les croyances tiennent, en quelque sorte, le rôle d'une cartomancienne qui dit la bonne aventure.

Les croyances positives sont celles qui nous font traverser les pires marais sans qu'on ait eu l'impression de se salir les pieds. À l'inverse, chacune de nos croyances négatives nous donne un avant-goût de ce qui risque de se produire si on y reste accroché : « *Je n'y arriverai pas... Nous courons droit à la catastrophe... Je ne suis pas capable... J'ai déjà échoué... Je n'ai pas le choix...* »

Les peurs que nous avons héritées de notre entourage contribuent pour beaucoup à l'affirmation de nos croyances : « *De toute façon, ça ne vaut rien !* », « *T'as pas le profil pour ça !* », « *Ça, c'est pour les autres... !* », « *Nous sommes nés pour un petit pain !* »

Combien d'affirmations de ce genre avons-nous stockées inconsciemment dans notre esprit ? Elles encombrent l'espace de nos pensées. Elles ne sont guère utiles à quoi que ce soit, ni à qui que ce soit d'ailleurs. Il faut donc, de temps en temps, faire le ménage du grenier, sans quoi ça devient vite un vrai capharnaüm ! Dans la plupart des cas, nous avons retenu ces messages et en avons fait des croyances, car ils étaient véhiculés par des personnes qui ont eu, ou qui ont encore, une influence certaine sur notre vie. Or, ces gens qui véhiculent des croyances limitatives ne visent pas à nous empêcher d'atteindre nos objectifs, mais ils transposent sur nous leurs propres peurs. Bien que ces pensées ne nous appartiennent pas, elles guident nos actions ou les inhibent. Ces croyances, mêlées à d'autres que nous développons, nous empêchent parfois de mettre pleinement à profit nos compétences, nos aptitudes et tout notre potentiel. Le fait de rendre ces freins conscients nous aide cependant à mettre de l'ordre et, enfin, à lessiver ce qui doit l'être.

Pour se dégager de ces adversaires négatifs, la première étape consiste à préciser nos croyances personnelles.

- Quelles certitudes cultivez-vous face à votre intégration au marché du travail ?

- Que signifie « réussir » à vos yeux ?

- Quelle opinion avez-vous de vous-même ?

- Quelle valeur accordez-vous à votre projet ?

- Qu'est-ce qui vous fait peur ?

Ces questions vous permettront de dégager plusieurs de vos croyances limitatives. Lorsque vous aurez énoncé la plupart d'entre elles, il s'agira ensuite de faire le tri. Lesquelles de ces croyances vous sont utiles ? Que voulez-vous garder, modifier, mettre à jour parmi ces croyances afin que vous puissiez conserver une vision optimiste de votre intégration au marché du travail ?

Bien sûr, l'examen de vos croyances vous révélera sans doute des pistes qui vous aideront à maintenir votre vision dans la direction que vous visez. Or, il existe aussi une façon tout à fait originale d'orienter vos pensées dans la direction de votre choix sans vous laisser envahir par les imposteurs intérieurs. Cette voie consiste à *visualiser* votre réussite. Bien qu'il existe de bons ouvrages sur les techniques de visualisation créatives, l'approche est, somme toute, assez simple. Le chapitre « V » vous en fournira un petit exemple.

mentor

*J'ai toujours rêvé d'avoir accès à une personne d'expérience
qui puisse me rappeler parfois
combien j'ai raison de croire en moi.*

?

Vers quelles personnes-ressources se tourner lorsque l'on vise une intégration efficace au marché du travail ?

Les ressources-conseils dans le domaine de la carrière sont très nombreuses et très diversifiées. Dans les institutions d'enseignement, vous pouvez avoir accès à des conseillères et des conseillers en information scolaire et professionnelle, des conseillères et des conseillers d'orientation professionnelle ainsi qu'à des conseillères et des conseillers en emploi. Selon le milieu, l'institution et les personnes en place, les services varient autant que les approches. Le rôle principal de ces personnes consiste à vous aider à faire des choix professionnels, à vous informer ou à mettre à votre disposition des outils d'information adaptés à vos besoins, ou à vous assister dans vos démarches d'intégration au marché du travail.

Plusieurs écoles de formation professionnelle, collèges et universités ont tissé de solides liens avec des entreprises ouvertes à l'accueil de personnes en stage. De plus en plus d'entreprises comprennent la valeur du stage, tant pour elles-mêmes que pour la personne qu'elles accueillent. L'école nous permet d'ouvrir nos esprits à de multiples connaissances, mais rien de tel qu'un stage pour être confronté à la réalité du marché du travail. Cette voie est, selon moi, une approche qui devrait faire partie intégrante de tous les programmes de formation, quels qu'ils soient, parce qu'ils permettent aux stagiaires de faire le test de la réalité et de vivre une intégration plus efficace au marché du travail.

Il existe aussi de nombreux organismes à but non lucratif qui s'adressent à des clientèles ciblées : les jeunes, les allophones, les personnes qui ont plus de quarante ans, les personnes ayant des limitations, les personnes monoparentales, les prestataires de l'assurance-emploi, etc. Ces organismes offrent eux aussi une panoplie de services visant à encadrer vos démarches d'intégration au marché du travail.

Viennent ensuite les organismes privés qui offrent des services d'orientation et de gestion de carrière. Des professionnels dont les actes sont régis par des ordres professionnels peuvent vous assister dans une démarche personnalisée. Ces personnes sont des conseillères et des conseillers d'orientation, des psychologues ou des conseillères et des conseillers en relations industrielles.

Finalement, une toute nouvelle avenue en voie d'expansion se présente aux personnes qui souhaitent non seulement obtenir des conseils, mais aussi mieux comprendre le monde du travail qu'elles visent à intégrer, et surtout mieux « vivre » leur projet professionnel. Cette voie est celle du mentorat.

D'aussi loin qu'il soit possible de se référer dans l'histoire du travail, le savoir s'est transmis par tradition orale tandis que le savoir-faire se faisait par « compagnonnage ». C'est ainsi que les artisans développaient les habiletés nécessaires à la maîtrise d'un métier. Les apprentis pouvaient facilement apprendre en compagnie de leur maître durant plus de cinq années. Lorsqu'ils passaient maîtres, on peut comprendre combien leur travail était devenu un « art », faisant d'eux de véritables artisans. La relation « maître-apprenti » est disparue avec le développement de l'ère industrielle où tout le travail des artisans s'est mécanisé, de façon à produire plus, en moins de temps et à meilleur coût. Les métiers de la construction ont conservé un certain esprit de compagnonnage, notamment pour désigner, à travers un système de cartes, le niveau de compétences acquises selon le nombre d'heures travaillées. Mais la formule initiale, basée sur une relation privilégiée entre un maître et son apprenti, a rapidement été mise de côté. Enfin, jusqu'à l'approche des années 2000.

Les institutions d'enseignement francophones redécouvrent depuis peu les vertus du stage, du parrainage et de la relation « mentor-protégé ». Certains cégeps et universités, telle l'UQAM, ont un programme qui consiste à jumeler des finissants à des mentors issus de plusieurs secteurs d'activité. Dans le milieu de l'entrepreneurship, la formule du mentorat se développe à une vitesse fulgurante. L'organisme Incubatech du Collège Ahuntsic encourage les gestionnaires d'entreprises à devenir mentors auprès des finissants des techniques spécialisées qui aspirent à créer leur entreprise. La Banque de développement du Canada possède sa banque de mentors, lesquels accompagnent des aspirants entrepreneurs dans la réalisation de leur projet. Bien qu'ils soient déjà intégrés au marché du travail, plusieurs gestionnaires d'entreprises ainsi que des professionnels ont leur mentor : une personne-ressource précieuse qui tient le rôle de « coach ». De nombreuses entreprises forment leurs gestionnaires au « coaching ». On ne veut plus de patrons et de l'image qui lui est associée. Le monde du travail des années 2000 est fondé sur la richesse d'une équipe de travail. Qui dit équipe, dit « coach » d'équipe !

S'il y a autant d'engouement pour le mentorat, c'est qu'on a besoin, plus que jamais, de l'expérience des autres pour affermir la nôtre. De plus, nous comprenons l'importance de sortir des rôles formels et hiérarchiques ainsi que des contraintes liées à l'autorité et aux cadres institutionnels. Plus de souplesse dans les années 2000, c'est aussi plus d'« humanité » dans nos relations et plus de rapprochement véritable avec le monde du travail.

Le mentorat, c'est une formule dans laquelle mentor et protégé trouvent chacun leur compte. On ne force personne à devenir mentor et personne n'est forcé à se faire accompagner. Cette relation est volontaire, informelle et gratuite sur le plan financier. Arrivées à une certaine étape de la vie professionnelle, de nombreuses personnes ressentent le besoin de transmettre leurs connaissances et leur expérience à celles et à ceux qui les suivront. Donner de son temps est un geste altruiste qui permet à celle ou à celui qui donne de laisser une marque véritablement humaine dans le parcours professionnel d'une personne. Ce qui est donné sera, un jour, retransmis à nouveau par celle ou par celui qui reçoit. La portée est sans fin. Le protégé n'oublie jamais ce qu'il a reçu et sera incité à remercier son précieux guide en devenant mentor à son tour.

Si l'on devine assez bien les motifs d'un jeune qui vise à établir une relation avec un mentor, plusieurs mentors avouent s'y prêter parce qu'ils n'en ont pas eu et qu'ils auraient bien aimé en avoir un. Toutefois, ce n'est pas n'importe quelle personne qui peut devenir mentor. Son profil ressemble à celui des personnes qui :

- sont à l'aise dans leur profession;
- ne risquent pas de se sentir menacées;
- savent donner l'heure juste;
- sont ouvertes à transmettre leurs connaissances ou leurs expériences;
- sont non directives;
- sont capables de recevoir.

De son côté, une personne qui vise à se faire accompagner par un mentor doit savoir ce qu'elle veut. En fait, son profil ressemble à celui d'une personne qui :

- a un projet (a défini ses objectifs, ses services, son marché cible, etc.);
- est respectueuse, patiente;
- suit le rythme du mentor;
- est capable de recevoir (ça fonctionne dans les deux sens).

La réussite d'une telle relation est fondée sur une confiance mutuelle, sur le temps nécessaire à ce que chacun puisse apprivoiser l'autre, sur le caractère informel des rencontres, sur l'ouverture et sur la transparence entre les deux parties.

Les rencontres entre mentor et protégé peuvent, bien sûr, varier. Certaines conduisent à de véritables amitiés. Il faut savoir persévérer au-delà de la première rencontre. Toute relation authentique doit prendre son temps. On ne peut tordre le bras à quiconque pour qu'il s'engage dans une relation à long terme. Complicité oblige. L'attitude, de part et d'autre, y est pour beaucoup.

Voici quelques institutions qui s'intéressent au mentorat :

- Jeune Barreau de Montréal;
- Jeune Chambre de commerce de Montréal;
- Chambre de commerce et d'industrie de Laval;
- Réseau des femmes d'affaires du Québec;
- Association des journalistes indépendants du Québec.

Or vous n'avez pas besoin de faire partie d'un regroupement quelconque pour retracer cette personne qui pourra tenir le rôle de mentor dans votre intégration au marché du travail. Utilisez votre réseau de contacts. L'inforoute électronique est aussi un moyen tout indiqué pour trouver un mentor. Vous pouvez, entre autres, consulter à cet effet les sites suivants :

- Cyber-mentorat des Éditions Ma carrière et du Collège de Bois-de-Boulogne au http://idclic.collegebdeb.qc.ca/interactif/cyber/main_cyber.html.
- ISO Jeunes au http://ISO-jeunesyouth.qc.ca.

Le mentorat n'est pas fait pour tous. Il convient à celles et à ceux qui reconnaissent les avantages d'une relation basée sur l'échange, la confiance et le respect mutuel. Si vous êtes de ces personnes, il ne fait nul doute, pour moi, que le mentorat est une avenue très efficace pour une intégration au marché du travail des années 2000.

Pour celles et ceux qui ne se reconnaissent pas dans une telle formule, sachez que cela n'empêche en rien la mise en marché proactive de vos services. Le mentor est l'une de ces nombreuses ressources-conseils qui peuvent vous guider dans la réalisation de votre projet. Il revient toujours à vous de choisir la formule qui vous convient le mieux !

Nnouvelle économie

Le Québec se dirige vers une économie fondée sur le savoir.
Les entreprises de savoir élevé sont responsables de 48 %
des emplois créés.
Les secteurs liés à l'innovation et aux nouvelles technologies
sont devenus les moteurs de la croissance.

Ministère de l'Industrie et du Commerce

?

On entend beaucoup parler de la « nouvelle économie ».
Qu'est-ce que c'est au juste ?

L'expression « nouvelle économie » signifie que ce ne sont
plus les secteurs d'activité économique traditionnels qui font
« bouger » l'économie québécoise et la création d'emplois.
En quittant le XXᵉ siècle, nous avons tourné une fois pour
toutes la page sur une partie de notre histoire économique
et industrielle pour entrer dans une toute nouvelle ère où
les façons de faire, de voir et de penser le travail sont fort
différentes. Les nouveaux secteurs d'activité regroupent de
multiples entreprises qui créent la valeur économique de
notre pays et qui sont liées à l'innovation et aux nouvelles
technologies. Puisque ces entreprises ont misé sur le savoir,
nous appelons aussi la nouvelle économie, l'économie du
savoir.

Nous divisions la nouvelle économie en trois niveaux de
savoir. Ainsi, les entreprises qui axent leurs activités autour
d'un haut niveau de savoir ont à leur service des personnes

hautement spécialisées et orientent leurs activités vers la recherche et le développement. Les secteurs d'activité reliés à un niveau élevé de savoir sont, par exemple :

- le matériel scientifique et professionnel;
- le matériel de communications;
- les autres équipements électroniques;
- l'informatique et les services connexes;
- les machines de bureau scientifiques;
- les services éducationnels;
- les produits pharmaceutiques et médicaux.

Les entreprises de savoir moyen correspondent généralement à celles qui orientent leurs activités autour des productions de masse, par exemple:

- les textiles;
- les communications;
- le papier et les produits connexes;
- les mines;
- le caoutchouc;
- l'ingénierie et les services;
- le commerce de détail;
- l'automobile et les pièces d'auto;
- les matières plastiques;
- les aliments, les boissons et le tabac;
- l'impression et l'édition;
- la construction.

Les entreprises de faible savoir sont celles qui dépendent d'une forte concentration en ressources humaines, par exemple :

- la pêche et le piégeage;
- le bois;
- les meubles et les articles d'ameublement;

 les transports;

 l'agriculture;

 le vêtement;

 le cuir;

 les services d'hébergement et de restauration;

 l'abattage et la foresterie.

?

À quoi pouvons-nous reconnaître ces entreprises de la nouvelle économie ?

Les entreprises qui génèrent l'emploi des années 2000 sont celles qui misent sur la recherche et le développement ainsi que sur leur « capital humain ». Selon un sondage de la Banque de développement du Canada, ces entrepreneurs dirigent soit une entreprise novatrice, soit une entreprise fondée sur le savoir, soit une entreprise à forte croissance. La plupart de ces PME ont été lancées il y a moins de dix ans, possèdent en général quatre cadres et une quarantaine d'employés et ont un chiffre d'affaires annuel moyen variant entre un et cinq millions de dollars. Lorsque la BDC a demandé aux entrepreneurs de ces PME à quoi ils attribuaient la réussite de leur entreprise, ils ont le plus souvent répondu que cela était dû à la qualité et à la compétence de leur personnel, au service à la clientèle et au fait que le dirigeant est passionné par son travail !

Force est de constater que ce sont des facteurs « humains » qui sont à la base de la nouvelle économie. L'apparition des nouvelles technologies assure actuellement la croissance de notre économie en générant des milliers d'emplois. Plus encore, cette nouvelle économie nous a permis, en tant que travailleurs et travailleuses, de quitter le statut de « main »-d'œuvre, pour devenir un être à part entière, plein de ses multiples compétences et potentialités à offrir aux entreprises. Une citation du livre *Passage obligé*, écrit par Charles

Sirois, rend tout à fait concrète la dimension « humaine » accordée au rôle du travailleur de la nouvelle économie :

« L'automatisation et la prolifération des machines intelligentes imposent la conversion de l'ouvrier-automate en travailleur qui pense. Avec le savoir en poche, il doit concevoir le parcours du robot, en comprendre le déroulement, faire des analyses, interpréter le rendement anticipé et le réviser à l'occasion. Les gains réels de la productivité sont attribuables à l'ingéniosité de l'ouvrier, plutôt qu'à la performance de la machine. »

En quoi la nouvelle économie a-t-elle un impact sur le marché du travail et sur notre façon de l'intégrer ?

La nouvelle économie a un impact direct sur le marché du travail, puisque c'est elle qui en fixe les nouveaux critères. Si une nouvelle économie s'installe, c'est que l'ancienne ne correspond plus à la réalité des années 2000. C'est ainsi que plusieurs entreprises ont disparu et, avec elles, plusieurs catégories de postes. Si ces entreprises et ces postes ont disparu, c'est qu'ils ne répondaient plus aux besoins dans un contexte mondialisé et hautement technologique.

Heureusement, d'autres entreprises, comme d'autres postes, prennent cependant la relève, sans quoi il y aurait un sérieux déséquilibre. Ce faisant, elles dictent quels sont les nouvelles compétences et les savoirs requis pour répondre aux nouveaux besoins qui émergent. On n'a qu'à penser au multimédia, qui a créé une variété de nouvelles occupations inexistantes il y de cela quelques années. À lui seul, le multimédia fournit 70 000 emplois et génère quelque 10 milliards de dollars en activité économique. Ces nouvelles catégories d'emploi, et bien d'autres reliées au secteur des communications et de la biogénétique, transforment le marché du travail parce qu'elles défont le cadre de référence de l'emploi traditionnel.

Comme son nom l'exprime, la « nouvelle économie » nous informe que sur le marché du travail des années 2000, de nouveaux types d'emploi sont créés et, avec eux, de nouvelles exigences et des façons renouvelées de vivre l'expérience du travail.

En conséquence, la nouvelle économie change aussi notre façon d'intégrer le marché du travail, car elle nous force désormais à apprendre comment fonctionne le marché du travail et à mieux connaître les besoins des entreprises. La nouvelle économie est beaucoup plus complexe que l'ancienne, plus éclatée, plus diversifiée. Ainsi, si nous visons à intégrer le marché du travail, il nous faut, plus que jamais, apprendre à le découvrir.

La façon la plus simple de partir à sa découverte consiste à ouvrir une porte dans une direction qui attire particulièrement notre attention. Une seule porte, car il est impossible d'intégrer le marché du travail en orientant ses énergies vers plusieurs directions à la fois. Hier, ça pouvait peut-être fonctionner, mais ce n'est plus le cas aujourd'hui. Il est très facile de se perdre dans l'aventure du marché du travail et de perdre d'autant plus sa motivation, ses énergies et son désir de faire ce que l'on aime.

Pour éviter qu'une aventure aussi trépidante devienne un véritable cauchemar, nous nous référons aux comportements et aux attitudes de l'entrepreneur qui vise à mettre ses produits ou ses services en marché. Si nous « visualisons » notre intégration au marché du travail comme le fait l'entrepreneur, nous aurons autant de chance que lui de parler en fonction de réussite. Les ingrédients de base qui font la recette d'une intégration entreprenante au marché du travail des années 2000 sont les mêmes que ceux utilisés par les entreprises novatrices de la nouvelle économie :

- un projet qui mobilise nos compétences;

- une cible de marché.

Que fait ensuite l'entrepreneur de la nouvelle économie ? Il ouvre une porte en direction de sa cible de marché et l'étudie. Sachant que ses produits ou ses services ne sont pas destinés à tout le monde, il procédera à des choix judicieux qui ont du sens à ses yeux. En choisissant une cible, il s'assurera de comprendre les caractéristiques de cette cible, ses habitudes, ses préférences. Il veut savoir comment ce marché fonctionne et quels sont ses besoins, car il vise à ce que ses services trouvent preneur. En effet, si l'entrepreneur ne connaissait pas la clientèle à laquelle ses services sont destinés, comment pourrait-il répondre à ses besoins ? C'est donc à partir du résultat de ses recherches qu'il orientera, de façon stratégique, ses actions afin que « services » et « besoins » se rencontrent.

Sans projet, il ne peut y avoir de cible. Sans cible, il n'est guère possible de s'orienter efficacement sur le marché du travail des années 2000.

À l'ère industrielle, une connaissance globale du marché du travail suffisait pour l'intégrer. Or, une vision d'ensemble n'est plus d'aucune utilité, car le marché du travail est devenu une véritable fourmilière à travers laquelle mille et un passages se dessinent. Si le marché du travail comporte des milliers de portes d'entrée, elles ne nous sont pas toutes destinées. Il faut choisir la nôtre et s'y intéresser, tout comme le font les entrepreneurs de la nouvelle économie qui affirment que la réussite de leur entreprise est due au fait qu'ils sont passionnés par ce qu'ils font.

?

Vous dites qu'il importe de préciser notre « valeur ajoutée ». On parle aussi des entreprises à forte valeur ajoutée de la nouvelle économie. Dans notre cas, qu'est-ce que c'est ?

La « valeur ajoutée » à vos services, ce sont vos atouts, vos cartes maîtresses, vos compétences spécifiques. En fait, c'est ce qui vous distingue de votre concurrence sur le marché du travail et qui fera en sorte de faire pencher la balance en votre faveur, le moment venu pour une entreprise de trancher entre deux candidats.

Vous êtes trilingue et souhaitez offrir vos services dans une entreprise présente sur les marchés internationaux ? Vous avez un pas d'avance sur votre concurrence qui ne maîtrise que deux langues ! Vous avez une formation technique en métallurgie doublée d'une formation continue en contrôle de la qualité ? Vous avez certes là un atout complémentaire qui vous distingue de votre concurrence, si vous aspirez à offrir vos services à titre d'inspecteur. À l'invitation « parlez-moi de vous », vous présentez ce projet qui a du sens à vos yeux, en expliquant en quoi vos services répondent aux besoins de ce client potentiel. En démontrant que vous n'êtes pas là par essais et erreurs, vous venez à la fois de faire valoir votre esprit d'entreprise... cette qualité particulière que votre interlocuteur recherchait tant !

Ces quelques exemples vous auront permis de mieux comprendre que la valeur ajoutée se trouve à divers niveaux, tant sur les plans des connaissances, des compétences que des attitudes. *Moi inc.*, c'est là votre entreprise à valeur ajoutée. Pour qu'elle jouisse d'une saine croissance, il faut sans cesse investir en elle, lui procurer ce dont elle a besoin afin d'être en mesure d'intéresser sans cesse de nouveaux clients potentiels. Dans *Moi inc.*, votre valeur ajoutée dépend continuellement de votre capital-actions !

offre de service

À tout projet professionnel correspond un marché.
À tout marché, des clientes et des clients sont visés.
À ceux-ci est présentée une offre de service
qui met en valeur ce que vous avez à offrir.

?

Pourquoi préférez-vous le terme « offre de service » à celui de « curriculum vitæ » ?

D'abord parce que la définition latine du terme «curriculum vitæ» ne reflète pas l'objectif visé par ce document. «Curriculum vitæ» signifie historique de vie. Croyez-vous vraiment que les personnes à qui vous acheminez ce document au sein des entreprises s'intéressent à votre vie ? À sa lecture, ces dernières cherchent plutôt à savoir si les services que vous avez à offrir correspondent aux besoins de leur entreprise. Le *Petit Larousse* définit ainsi le terme «offre» : *action de proposer un contrat, un marché, un service à une autre personne.* N'est-ce pas là votre intention première ?

J'ai déjà mentionné l'importance du langage véhiculé à travers l'activité de recherche d'emploi. Je suis donc portée à souligner qu'une personne qui adopte l'expression « offre de service » a déjà une perception significative de ce que ce document doit contenir et mettre en valeur. Si tout le monde sait à quoi l'on se réfère lorsqu'on parle d'un curriculum vitæ, plusieurs ne savent toujours pas que ce document est d'abord un outil de promotion.

À la manière de l'entrepreneur qui a besoin d'un véhicule publicitaire pour annoncer ses produits, une offre de service est un document par lequel vous assurez une promotion efficace de vos services auprès de vos clientes et clients potentiels. Une offre de service est, en quelque sorte, une carte professionnelle de format géant. Puisque les personnes à qui vous acheminez ce document au sein des entreprises consacrent très peu de temps à sa lecture, vous avez avantage à ce que son contenu soit clair, invitant et bien adapté à votre marché cible. En effet, rappelez-vous que l'activité de recherche d'emploi doit reposer sur une stratégie de mise en marché dans laquelle figurent des choix judicieusement ciblés. Consultez la lettre « S » pour plus de renseignements.

?

Pourquoi les gens à qui nous acheminons une offre de service consacrent-ils si peu de temps à sa lecture alors que nous en mettons tant à l'élaborer?

Sachez que le temps consacré à l'élaboration attentive de votre offre de service est un investissement. Puisque votre offre de service vise aussi à vous distinguer de votre concurrence, on doit pouvoir sentir votre différence. Heureusement pour plusieurs candidates et candidats, il y a encore beaucoup de personnes qui négligent de soigner l'image professionnelle de ce document. Quel que soit le secteur d'activité que vous avez ciblé et quelle que soit la personne à qui vous acheminez vos informations, nul ne peut être indifférent à un document qui évoque une image de qualité professionnelle.

Le peu de temps consacré à votre offre de service par les personnes qui prennent les décisions au sein d'une entreprise suffit amplement à déterminer s'il y a adéquation entre ce que vous offrez et les besoins exprimés au sein d'une entreprise. Combien de temps consacrez-vous à lire le contenu du Public-Sac de votre quartier ? La plupart des gens le parcourent rapidement à moins, bien sûr, qu'une promotion quelconque attire particulièrement leur attention. En général, lorsque quelque chose nous attire, c'est que cela répond à l'un de nos besoins actuels ou envisagés. Nous serons donc enclins à conserver une publicité d'entretien de moquettes et à entrer en contact avec ce fournisseur, si c'est là un service dont on vise à se prévaloir. Il en est de même pour votre offre de service. Sa qualité saura certes faire la différence entre plusieurs autres, mais elle ne pourra trouver preneur que si son contenu semble répondre à un besoin requis au sein de l'entreprise.

Votre offre de service sert donc à présenter avantageusement vos caractéristiques afin d'intéresser des clientes et des clients potentiels. En fonction du projet professionnel qu'est le vôtre, elle mettra en évidence ce que vous avez à offrir en lien avec ce projet. Votre offre de service sera donc personnalisée et adaptée au marché auquel vous vous adressez.

?

Les façons de faire pour rédiger ce document varient grandement d'une personne-ressource à une autre, d'un livre de référence à un autre, ou d'un outil de rédaction électronique à un autre. Je crois avoir en main au moins six versions, toutes aussi différentes les unes des autres. Sur quoi devons-nous nous appuyer réellement pour présenter une offre de service efficace et de qualité ?

La première source de référence, c'est vous ! Revenons à l'esprit dans lequel on doit aborder la recherche d'emploi des années 2000. À la manière d'un entrepreneur qui vise à mettre en marché ses produits ou d'un travailleur autonome qui s'apprête à lancer ses services, vous êtes le principal décideur. En ces termes, c'est vous qui donnerez le ton à votre document parce qu'il est extrêmement important qu'il vous ressemble. Personne n'est mieux placé que vous pour décider de sa présentation, de son format ou de son contenu. Si vous connaissez bien votre marché cible, votre intuition vous guidera vers ce qu'il faut mettre en valeur ou éviter.

Sachant qu'il a besoin d'un support publicitaire pour assurer la promotion de ses activités, un comptable songera à des cartes professionnelles, à un logotype, à un slogan ou à du papier à en-tête qui exprimeront le mieux la nature de ses activités. La même approche s'applique en ce qui concerne votre offre de service. Créez votre propre modèle en ajoutant un logo pertinent, si vous le voulez, et faites de même pour le papier à en-tête de votre lettre de présentation. Examinez les modèles de lettres d'affaires qui vous passent entre les mains pour ensuite trouver vos propres idées.

Si vous souhaitez que l'on comprenne bien votre projet, c'est-à-dire l'activité professionnelle à partir de laquelle vous avez choisi d'offrir vos services, vous adapterez sa présentation à vos caractéristiques propres, celles qui savent le mieux exprimer ce que vous êtes et visez à offrir. Le titre de vos services peut être mis dans un encadré, suivi des qualités qui permettent de vous différencier.

Enfin, lorsque vous l'aurez terminée, consultez les personnes qui vous connaissent le mieux. Montrez-leur l'offre de service que vous avez élaborée et notez leurs commentaires. Ces personnes peuvent-elles lire, par exemple, que vous offrez vos services à titre de « concepteur d'applications informatiques » ? Comprennent-elles vraiment ce que vous avez à offrir ? Votre offre de service reflète-t-elle bien ce que vous êtes et souhaitez mettre en valeur ? Vous serez libre ensuite de retenir ce qui vous semble pertinent.

Si vous choisissez de vous faire guider dans l'élaboration de votre offre de service, assurez-vous que la personne-ressource comprend bien votre projet professionnel. Informez-la aussi du marché auquel votre offre de service est destinée. D'un point de vue technique, il importe de retenir que la pertinence est à coup sûr une des meilleures règles de base lorsqu'on se réfère à la présentation ainsi qu'au contenu de votre offre de service, car tout ce que ce document renferme de non pertinent devient une information superflue.

Par exemple, tout ce à quoi une personne consacre ses loisirs et ses intérêts sera pertinent à mentionner, dans la mesure où il existe un lien direct entre ces activités et l'activité professionnelle qui est à la base de votre projet. En tout temps, rappelez-vous que ce document en est un de promotion.

Une publicité qui présente le plus récent logiciel en matière de graphisme, et destiné à la clientèle des graphistes et autres professionnels de l'infographie, mettra prioritairement l'accent sur les différentes caractéristiques qui font de ce produit un atout. En plus des informations d'ordre technique, on pourrait trouver les qualités du produit, les compétences du fournisseur dans son champ d'activité ainsi que tout autre renseignement qui peut ajouter une connotation de fiabilité et d'expérience. Cependant, jamais on n'y lira que le promoteur s'intéresse au golf, que le logiciel de graphisme possède une banque d'images restreinte, comme lorsqu'on lit sur une offre de service : « anglais fonctionnel ». Jamais on n'y trouvera le numéro d'assurance sociale du fournisseur ou du représentant auquel vous devez vous adresser pour une commande ou pour d'autres renseignements. Pas plus qu'il nous intéressera de connaître le statut personnel de ce dernier, sa date de naissance ou la liste des nombreux cours de développement personnel qu'il a suivis. Gardez toujours à l'esprit que l'offre de service est un outil de marketing, non pas un étal de marché aux puces !

?

Je possède des expériences professionnelles dans des domaines fort différents et je n'ai aucune intention d'offrir de nouveau mes services dans ces secteurs. Je préfère les retirer de mon offre de service et ne présenter que ce qui a trait à mon nouveau projet, même s'il n'en reste qu'une seule page.

Il ne faudrait cependant pas retirer trop vite des expériences qui, *a priori*, ne sont pas reliées au poste visé. À chacun des postes que vous avez occupés, posez-vous la question : « *Ce que j'ai réalisé ici peut-il être un atout qui me distingue de ma concurrence ou qui procure à mes services une valeur ajoutée ?* » Ce que vous avez réalisé dans une expérience professionnelle antérieure peut s'avérer transférable ou révélateur de qualités et de compétences qui procurent à votre projet professionnel une valeur ajoutée. Votre expérience antérieure fait partie de vos acquis professionnels. Pourquoi les renier s'ils montrent votre polyvalence, votre ouverture au changement, votre connaissance d'une variété de secteurs d'activité ? Bien que ces expériences n'aient pas à figurer en première page de votre offre de service, elles affichent vos diverses compétences qui font votre histoire professionnelle, ce qui vous distingue des autres. Il importe toutefois que vous ne vous contentiez pas de citer les postes que vous avez occupés ainsi que les noms des entreprises correspondantes. Les listes d'épicerie sont à éviter, car elles ne révèlent en rien les compétences que vous avez acquises. Elles ne disent pas ce que vous avez à offrir. Ce sont vos réalisations à chacun de ces postes qui intéresseront le lecteur.

?

Lorsqu'on décrit les tâches que nous avons accomplies à chacune de nos expériences professionnelles, sur quoi devons-nous mettre l'accent ?

Les réalisations importent plus qu'une description des fonctions associées aux postes que vous avez occupés. D'un poste à l'autre, les tâches se ressemblent. Ce qui est toutefois différent, c'est ce que vous avez réalisé à chacun de ces postes. Ne croyez pas que les réalisations professionnelles sont nécessairement des exploits extraordinaires. Les réalisations sont de bons coups grâce auxquels vous avez contribué à améliorer votre travail ou celui de votre équipe, que ce soit sur les plans technique, relationnel ou administratif. Une réalisation, c'est « ce que vous avez réussi à faire avec ce que vous aviez à faire ! » Voici un exemple.

« À titre de commis à l'entrée des données, j'ai conçu un guide de dépannage pour aider les agents de bureau à dépasser certaines difficultés dans l'utilisation d'un chiffrier électronique. »

L'objectif initial de cette personne n'était pas de concevoir un guide de dépannage. Mais, après avoir rédigé pour elle-même une série d'astuces de dépannage, elle en a fait profiter d'autres personnes, ce qui a contribué à l'efficacité de son propre travail et celui de l'équipe. Il en va de même pour les réalisations personnelles. Le fait d'avoir appris à programmer sous UNIX est un acquis, ce n'est pas une réalisation. Toute personne intéressée peut l'apprendre. Sauf que le fait de l'avoir appris de façon autodidacte, sans aucune formation assistée, fait de cet apprentissage une réalisation qui met en lumière plusieurs qualités : initiative, autonomie, débrouillardise, sens de l'organisation, etc. Ne croyez surtout pas qu'une réalisation est un acquis réservé aux cadres ou aux professionnels spécialisés. Des personnes qui travaillent dans un service de production ou qui manœuvrent une machine à coudre industrielle sont à elles seules capables d'accomplir de multiples réalisations. Les réalisations sont certes de première importance pour une cliente ou un client potentiel, car elles sont basées sur des faits, des moyens mis en œuvre pour les réaliser. Examinez chacun des postes que vous avez occupés et cherchez quelle valeur vous avez ajoutée à votre travail. Cet exercice exige du temps et de la réflexion. Il est très facile de dire : « À ce poste, je n'ai fait qu'exécuter ce qu'on me disait de faire ! » Si vous deviez répondre ceci dans le cadre d'une entrevue, alors que l'on vous demande quelles ont été vos réalisations à ce poste, vous ne mettrez en valeur que votre attitude de personne soumise.

Face à plusieurs candidats dont la compétence est comparable, ce sont les qualités personnelles des individus qui feront pencher la balance. Plus vous saurez faire valoir vos qualités à travers vos réalisations, plus vous serez une personne convaincue de ce que vous possédez, donc plus convaincante ! Souvenez-vous qu'il est très facile de mentionner à une cliente ou un client potentiel que vous êtes une personne structurée, autonome ou créative. Or, il est plus crédible et intéressant de transmettre ces informations à partir d'événements que vous avez vécus.

En combien de pages est-il préférable d'élaborer notre offre de service ?

Retenons que la concision a bien meilleur goût. Puisque ce n'est pas l'histoire de votre vie (curriculum vitæ) qui intéressera une cliente ou un client potentiel, il serait étonnant que vous dépassiez trois pages. En se référant à la célèbre règle de Vilfredo Pareto, 20 % d'information pertinente, bien présentée et adaptée à votre marché cible, retiendra l'attention du lecteur à 80 %. L'inverse s'applique aussi : 80 % d'information non stratégique et mal présentée ne procurera que 20 % d'effet chez ce même lecteur.

La première page est la plus importante. C'est elle qui oriente la décision du lecteur de parcourir ou non votre document. Les clientes et les clients potentiels ne se rendront à la deuxième ou troisième page que si la première a su attirer leur attention. En effet, si vous vous appuyez sur votre expérience pour offrir vos services, la première page doit nous en convaincre ; la formation scolaire pourra figurer en deuxième page. L'inverse s'applique aussi. Si ce sont vos réalisations personnelles qui viennent appuyer votre projet dans le cadre des services que vous offrez, affichez-les dès la première page.

Rappelez-vous que votre outil de promotion ne doit pas contenir d'information superflue qui pourrait alourdir sa présentation. La plupart des gens inscrivent le terme « Curriculum vitæ » en haut de la première page. Vous aurez sans doute compris que cette information est superflue et non appropriée, tel que souligné au début de ce chapitre. De plus, écrit-on en toutes lettres le mot « publicité » sur un document publicitaire ? Vous pouvez tout de même inscrire les mots « Offre de service » si vous tenez à inscrire quelque chose qui identifie ce type de document. N'oubliez pas qu'il n'y a pas de « s » au mot « service », lorsqu'on se réfère à l'expression « offre de service ».

Même les références n'ont pas leur place sur votre offre de service. Préparez-les sur une feuille distincte, laquelle vous pourrez glisser à votre cliente ou client potentiel lors d'une entrevue, s'il y a lieu.

Si vous ne perdez pas de vue que votre offre de service est un outil de promotion, vous éviterez tout détail non pertinent. Ne lésinez pas sur l'aspect esthétique de votre offre de service et, surtout, assurez-vous qu'elle ne renferme aucune faute d'orthographe, car cela ternit d'un coup sa lecture ainsi que votre image.

Devons-nous en tout temps joindre une lettre de présentation à notre offre de service ?

Lorsque vous remettez votre offre de service en mains propres ou que vous en distribuez des copies aux personnes de votre réseau de contacts, il n'est pas nécessaire de joindre une lettre de présentation. Elle est cependant indispensable dans l'une ou l'autre des situations suivantes :

- vous voulez vous assurer que votre offre de service parviendra à la bonne personne, c'est-à-dire celle avec qui vous avez communiqué et qui est en mesure de prendre une décision concernant votre projet;

- vous désirez ajouter des données qui n'apparaissent pas dans votre offre de service;

- vous souhaitez mettre en valeur certaines informations contenues dans votre offre de service;

- vous répondez à une offre parue dans les journaux.

Chaque lettre est un produit unique et adapté à votre cliente ou client potentiel. Évitez les lettres « circulaires » dans lesquelles on dit la même chose d'un client potentiel à l'autre, car cela est peu flatteur. Le temps que vous consacrerez à bien la personnaliser fera en sorte d'attirer l'attention de votre lecteur. Mettez-y du cœur et, surtout, toute votre personnalité.

- Vérifiez attentivement l'orthographe du nom de la personne à laquelle vous acheminez votre offre de service et indiquez correctement le nom du service;

- Tel que mentionné précédemment, effectuez toujours un appel téléphonique avant de faire parvenir votre offre de service afin de personnaliser votre lettre et d'adapter sa présentation en fonction des besoins qui vous ont été communiqués;

- En démontrant concrètement votre intérêt pour l'entreprise, vous vous attirez l'attention de votre lecteur et vous ajoutez du même coup à la crédibilité de vos propos;

- Présentez brièvement vos atouts, de façon pertinente;

- Indiquez que vous effectuerez un suivi dans peu de temps. Vous conserverez ainsi l'initiative de la prochaine prise de contact;

- Vous pouvez créer votre propre papier à en-tête, de façon originale, au lieu de vous en tenir aux formes habituelles;

- Distinguez-vous !

Pprojet : neuf étapes

Il me reste un projet à te dire
Il me reste un projet à nommer
Il est au tréfonds de toi
N'a ni président ni roi
Il ressemble au projet même
Que je cherche au cœur de moi.

Adaptation d'un extrait de *Pays au fond de moi,*
Gilles Vigneault

?

Vous dites que la recherche d'emploi des années 2000 doit s'articuler autour d'un projet qui a du sens à nos yeux. Je comprends bien l'importance de croire d'abord en notre projet afin de pouvoir convaincre les autres de sa valeur, mais comment pouvons-nous objectivement nous rendre compte que notre projet répondra à des besoins sur le marché du travail ?

Pour répondre à votre question avec la plus grande objectivité possible, je porterai pour quelques instants le chapeau du gérant de banque. Vous savez sans doute que ces personnes analysent les plans d'affaires des aspirants entrepreneurs avec justesse. Leur propension infime au risque leur confère une réputation d'intransigeance. En conséquence, si nous nous appuyons sur leur système de référence pour mesurer la viabilité d'un projet d'affaires, nous ne pouvons faire fausse route.

Qu'il soit question de présenter un plan d'affaires à un banquier ou de mettre en forme un projet professionnel, les mêmes règles s'appliquent. Nous devons en avoir évalué les points essentiels afin qu'il soit réalisable, porteur de résultats et convaincant, d'abord pour soi-même, puis pour nos clientes et clientes.

Soulignons aussi que rechercher du travail, c'est chercher un résultat. Logiquement, lorsqu'on vise un résultat, on a besoin de planifier certaines étapes qui sont ni plus ni moins des mesures préalables nous permettant d'établir ce qui nous manque, ce qu'il nous faut connaître ou acquérir afin d'être en mesure de viser juste et d'évaluer à quel niveau nous maîtrisons notre projet.

L'aspirant entrepreneur qui vise à mettre ses produits ou services en marché se place en continuelle situation d'apprentissage : qu'est-ce que je ne sais pas et qu'il me faut apprendre pour atteindre mon objectif ? Quelle information me manque-t-il ? Qui la possède ? Où l'obtenir ? L'aspirant entrepreneur apprend sans cesse à devenir de plus en plus curieux. C'est de cette façon qu'il se distinguera de sa concurrence, développera une grande maîtrise de son projet et atteindra les résultats escomptés.

Les neuf étapes qui suivent résument assez bien l'information que vous devez maîtriser avant de mettre votre projet en action en vue de votre intégration au marché du travail des années 2000.

1 Quel est votre projet ?

« J'offre mes services à titre de technicienne en construction d'aéronefs. »

2 Quelles sont les caractéristiques des services que vous offrez dans le cadre de ce projet ?

Procédez à une recherche sur votre activité professionnelle pour bien situer tout ce qui entoure cette activité à l'aide d'outils tels que le *Dictionnaire Septembre des professions*, le Système Repères, la Classification nationale des professions ou des sources électroniques d'information scolaire et professionnelle. Le guide *ICARO*, publié par Septembre média, est l'un des outils réunissant plusieurs sites à consulter pour obtenir des profils de professions.

◢ Faites ensuite des liens avec votre expérience, vos qualités ou vos compétences :

« Sur le plan technique, je peux... »
« Je possède trois ans d'expérience dans... »
« Sur le plan humain, j'ai de la facilité à... »
« J'ai des forces en... »
« J'ai des aptitudes pour... »
« J'ai beaucoup de motivation envers... »

3 Sur quoi vous basez-vous pour dire que les gens s'intéresseront à vos services ?

Autrement dit, parlez-nous de vous ! Puisez à même vos valeurs, vos besoins, vos motivations ou vos réalisations, en gardant un lien continu avec les services que vous offrez et les éléments que vous avez inscrits aux étapes 1 et 2.

4 À quel marché destinez-vous vos services ?

Consultez le chapitre « C » si vous hésitez à répondre.

5 Qui sera votre clientèle (les employeuses et les employeurs qui s'intéresseront à vos services) ?

Consultez le chapitre « C » si vous hésitez à répondre.

6 De quelles façons comptez-vous vous faire connaître de votre clientèle potentielle ?

Évoquez votre stratégie de mise en marché. Consultez le chapitre « S » pour plus de renseignements.

7 Qu'est-ce qui fait que votre projet sera un succès ?

Autrement dit, pourquoi êtes-vous si convaincu de votre projet ?

8 Qu'aurez-vous besoin de mettre à jour afin que vos services demeurent compétitifs ?

Quelle formation continue vous faut-il pour rester à l'affût dans votre secteur d'activité ? Quelles autres langues, quels logiciels ou compléments de formation souhaitez-vous acquérir ?

9 Sur quels éléments comptez-vous vous appuyer pour vous différencier de votre concurrence ?

Autrement dit, pourquoi devrions-nous retenir votre candidature ?

Il est possible que vous ne puissiez répondre instantanément, avec clarté et précision, à cet exercice de mise en forme. Si tel est votre cas, considérez cet exercice comme étant une sensibilisation aux points sur lesquels vous devez vous attarder pour planifier adéquatement votre intégration au marché du travail. Prenez le temps d'y répondre et de chercher les informations qui vous manquent et qui feront en sorte que votre projet puisse avoir du mordant.

Plus claire sera l'image que vous avez de votre projet, plus viable sera ce dernier et plus entreprenants seront vos comportements et attitudes.

Votre projet en neuf étapes signifie-t-il que nous devons ignorer les offres d'emploi annoncées dans les journaux et les autres façons traditionnelles de procéder à la recherche d'un emploi ?

L'entrepreneur qui vise à mettre en marché un nouveau produit n'ignore aucune source lui permettant de rester à l'affût de ce qui bouge dans son secteur d'activité. L'entrepreneur n'est pas un puriste, c'est un opportuniste, c'est-à-dire une personne qui règle sa conduite selon les circonstances du moment et ses intérêts. Une fois votre projet établi, rien ne vous empêche de consulter les offres d'emploi dans les journaux, de visiter les agences de placement ou de vous adresser aux guichets des centres locaux d'emploi.

Une multitude d'entrepreneurs et de travailleurs autonomes consultent chaque jour les appels d'offres de fournisseurs publiés sur le site <u>merx.cebra</u>. Rappelez-vous que la personne qui vise à intégrer le marché du travail des années 2000 doit se tenir au courant de tout ce qui concerne son domaine d'activité professionnelle.

Considérez ce qui est annoncé comme étant une prime. Retenez toutefois que l'entrepreneur ne s'en contente pas, car il s'assure de bien placer ses pions sur l'échiquier de ses aspirations. En tout temps, il persévère dans la mise en marché de ses produits ou services et se réfère à la stratégie qu'il a mise en place pour atteindre les résultats visés.

?

Chaque fois que nous répondons à une offre d'emploi publiée dans le journal, combien de personnes y répondent-elles en même temps que nous ?

De fort nombreuses personnes ! Bien que cela varie avec le type de poste affiché, il est facile de recevoir plusieurs centaines de réponses à une offre d'emploi publiée dans le journal. La concurrence est donc très présente. Pour cette raison, nous appelons cette façon de chercher un emploi : « l'attitude marathon ».

Puisque la recherche d'emploi dans les annonces du journal est une option fort achalandée, il importe que votre profil se démarque si vous souhaitez obtenir des résultats concluants. Il est, en tout temps, plus avantageux de considérer les journaux comme étant l'une des sources utiles à la recherche d'un emploi, au même titre que le fait d'afficher vos services par voie électronique sur les nombreux sites qui le permettent. Comme vous pouvez vous en douter, le fait de vous attarder exclusivement à ces options « ouvertes » diminuera nettement vos chances d'atteindre des résultats significatifs, principalement parce que vous n'avez aucun pouvoir sur celles-ci. Votre seul pouvoir consiste à postuler, puis à espérer. Nous appelons cette forme de réflexe : « l'attitude 6/49 » de la recherche d'emploi.

Retenez plutôt l'attitude de l'entrepreneur. Loin d'être passive, elle vous invite à vous « prendre en main », c'est-à-dire à entreprendre la réalisation d'un projet auquel vous croyez.

Une personne qui ressent qu'elle a du contrôle sur les événements est une personne qui réalise, qui prend une place dynamique et qui oublie de se laisser dominer par les innombrables peurs ou sentiments d'infériorité habituellement associés à l'activité de recherche d'emploi. D'autre part, une personne qui attend est une personne qui dépend de quelqu'un ou de quelque chose. Cette attitude devient vite lourde à vivre, puisqu'elle n'offre aucun pouvoir d'action constructive.

Avec une approche projet, vous vous donnez du pouvoir sur les résultats. Vous ne dépendez plus de personne d'autre que de vous. Vous êtes votre propre entrepreneur. Une personne qui saisit les occasions. Une personne qui agit différemment, car elle assume sa différence. Une personne qui n'attend pas que les choses surgissent, mais qui va au-devant afin qu'elles se matérialisent.

Avez-vous lu la pub des Caisses populaires Desjardins qui met l'accent sur un produit d'assurance destiné aux entrepreneurs et qui met en relief une série de qualificatifs qui ont tôt fait de retenir l'attention de celles et de ceux qui s'y reconnaissent ? Cette pub débute ainsi :

« À tous les acharnés, les têtes dures, les décidées, les pas arrêtables, les allumés, les fonceuses, les pas barrés, les audacieux, les culottés, les indépendantes, les bûcheurs, les pas tenables, les géniales, les indomptables, les vite en affaires, les fougueux, les pas comme tout le monde, les futés, les fières comme un coq... »

J'avoue que l'on n'aurait pu trouver mieux pour attirer l'aspirant entrepreneur ou toute personne qui a l'esprit d'entreprise dans les années 2000. Qu'attendez-vous donc pour oser être ce que vous êtes ?

questions à ne pas manquer

Il est plus facile de juger l'esprit d'un homme par ses questions que par ses réponses.

François Gaston, duc de Lévis

?

J'ai un projet professionnel qui me tient à cœur, mais je ne peux m'empêcher d'appréhender le moment où je serai face à mes clientes et clients potentiels. Quelles sont les questions d'entrevue auxquelles je devrais me préparer ?

Durant de nombreuses années, les professionnels de la gestion de carrière ont eu recours à une batterie de questions types pour aider les personnes à se préparer aux entrevues. Ces listes de questions étaient parfois si exhaustives qu'elles ne signifiaient plus rien. Trop, c'est comme pas assez ! Cette fastidieuse préparation générait bien souvent plus d'anxiété que d'assurance chez la personne qui se préparait à une entrevue. Une telle préparation avait aussi pour effet d'éliminer tout le côté naturel d'une telle rencontre.

La tête pleine de réponses, il n'est pas surprenant qu'une personne puisse se retrouver, face à l'intervieweur, totalement blindée, condamnée, croit-elle, à se faire bombarder de questions. Quel moment atroce à passer !

L'image traditionnelle que nous nous faisons de l'entrevue est si porteuse de stress que l'effet d'une préparation s'avère nul, à moins d'avoir replacé la signification que nous avons de l'entrevue et de son rôle dans l'activité qui nous concerne. L'entrevue n'est pas un concours de *Génies en herbe*. Aucun bouton rouge ne s'allumera si on n'a pas répondu adéquatement à la question.

Cette introduction ne signifie pas pour autant qu'il faille adopter l'attitude du kamikaze face à l'entrevue. Il faut d'abord la remettre dans son contexte. Investir vos meilleures énergies sur l'entrevue, c'est risquer de les perdre rapidement.

Vous êtes un fournisseur de services. Vous avez un projet professionnel qui vous tient à cœur ou qui a du sens à vos yeux. Si tel est véritablement le cas, toutes vos énergies doivent être investies dans la solide articulation de ce projet.

En vous concentrant sur votre projet, voici des questions tout à fait pertinentes à préparer pour votre rencontre avec vos clientes et clients potentiels :

- Qu'est-ce que j'ai à offrir ?

   Quelles sont mes expériences, mes compétences, mes réalisations, mes valeurs? Quels sont mes traits de personnalité? Etc.

- Pourquoi ce projet a-t-il du sens à mes yeux ?

   Il existe tant de projets, tous aussi différents les uns des autres. Pourquoi est-ce que je tiens autant à celui-là ?

- Sur quoi est-ce que je me fonde pour dire que mes clientes et clients potentiels s'intéresseront à mes services ?

   Autrement dit, pourquoi mes services trouveront-ils preneur ? Ou encore, pourquoi mes clientes et clients potentiels devraient-ils retenir mes services ?

- Qu'est-ce qui distingue mes services de ceux de mes concurrents ?

   Quels éléments clés pourraient faire pencher la décision de mes clientes et clients potentiels en ma faveur ? Quelle est la valeur ajoutée à mes services ?

- Qu'est-ce qui fait que mon choix de marché cible ne tient pas du hasard ?

   Pourquoi ce marché cible motive-t-il mes actions ?

?

Je n'ai pas d'expérience de travail, mais j'ai le projet d'offrir mes services aux boutiques de vêtements pour jeunes dans ma région à titre de préposée au service à la clientèle. Lors d'une récente entrevue, on m'a dit : « Parle-moi de toi ! » Que voulait vraiment savoir cette personne ?

La formule « Parlez-moi de vous » est fréquemment utilisée en début d'entrevue. Plusieurs personnes, ne sachant quoi répondre, s'attardent sur des informations de nature personnelle, sans lien véritable avec l'objet de la rencontre.

En adressant cette formule, on vous invite à mettre en valeur vos services, c'est-à-dire à résumer votre expérience ou votre formation en mettant l'accent sur les compétences, les forces, les qualités et les intérêts professionnels qui ajouteront de la valeur à votre candidature.

Autrement dit, la personne qui adresse cette invitation cherche une réponse à la question qu'elle se pose elle-même, en vous rencontrant pour la première fois : « *Cette personne offre-t-elle des services qui correspondent à nos besoins ?* »

Le fait que vous développiez l'attitude du fournisseur de services qui rencontre un client potentiel vous guidera vers une réponse adaptée. Quels services avez-vous à offrir à cette organisation ?

Comme tout bon fournisseur de services, il sera précieux d'apprendre à connaître ce client potentiel avant votre rencontre : son rôle, son marché, ses orientations, etc. Une recherche sur l'inforoute électronique vous permettra d'obtenir ces informations. Référez-vous au site web de la chaîne de boutiques en question. Cette recherche nourrira votre confiance et c'est avec détermination que vous saurez ensuite « parler de vous » !

Voici la réponse qu'une jeune personne sans expérience avait donnée lorsqu'on lui avait demandé de parler d'elle.

« *Je suis une personne enthousiaste qui aime atteindre des objectifs d'équipe. J'aime les activités qui me permettent de prendre des initiatives, d'assumer des responsabilités et d'apporter des suggestions. J'ai contribué à l'augmentation des ventes d'une coopérative scolaire en créant une série d'affiches publicitaires qui ont multiplié les visites à la coopérative. Je vise à poursuivre des études en techniques administratives parce que le commerce de détail m'intéresse, et tout particulièrement le service à la clientèle. Je crois que c'est un défi constant de savoir présenter les produits de sorte qu'ils puissent répondre aux besoins des clients. »*

Rappelez-vous qu'il n'existe pas de « bonnes réponses ». Ce sont les bonnes questions qui importent. Celles que vous pouvez vous adresser personnellement en tout temps, en tout lieu, pour mieux comprendre vos comportements et vos attitudes face à une situation, à votre projet. Je n'aime pas beaucoup mettre l'accent sur le comment des choses parce que cela nous mène toujours à des procédures. Bien qu'il n'y ait pas de mal à cela, les procédures ne sont pas faites pour tout le monde. On ne peut penser que ce sont des recettes magiques. Rien n'est plus magique que votre propre façon de vous y prendre pour faire face à une situation, pour relever un défi, pour mener à bien un projet. Il est facile de conseiller à une personne de faire ceci plutôt que cela, d'adopter telle attitude plutôt que telle autre. Mais il est beaucoup plus important de lui demander pourquoi elle vise ce projet particulier et pourquoi ce projet a du sens à ses yeux.

Chacun de vos pourquoi vous conduira à trouver le sens qui guidera vos actions et vos réponses lors de vos rencontres avec vos clientes et clients potentiels. Les comment répondre aux questions des entrevues ne vous y conduiront pas; ils deviendront vite des réponses préfabriquées qu'une majorité de clientes et de clients ont l'habitude d'entendre.

C'est la maîtrise de votre projet qui, en tout temps, fera la différence. Si vous savez pourquoi vous êtes là, devant votre client potentiel, vous n'aurez aucune réponse à apprendre par cœur. Vous communiquerez votre projet et toute la signification qu'il a à vos yeux.

Il va de soi que tout ce que vous énoncez doit être, le plus souvent possible, associé à un exemple. Il est facile de citer une série de qualités ou de compétences. Encore faut-il pouvoir donner quelques exemples qui les rendront significatives aux yeux de votre interlocuteur. Comme dernier élément, n'oubliez jamais que tout ce que vous énoncez doit être vrai, authentique, sinon votre langage non verbal vous trahira.

?

Je suis une personne timide et réservée. Je ne peux me faire à l'idée que je dois aller vendre mes services. Je n'ai vraiment rien d'une vendeuse !

Vous n'allez pas « vendre » vos services, mais les offrir dans le cadre d'un projet qui vous tient à cœur. Les préjugés que vous entretenez à l'égard de l'activité de recherche d'emploi deviennent vos adversaires, car ils ont pour effet de gruger votre motivation et votre détermination.

Votre cas me rappelle le mien. Plus jeune, je fuyais toutes les activités scolaires visant à vendre des macarons ou des tablettes de chocolat, même si des motifs communautaires fort louables s'y cachaient derrière. Seule la pensée de monter sur le balcon d'une maison voisine pour vendre quelque chose à la personne qui me répondrait, me paralysait.

Pareille situation à l'école, où les professeurs exigeaient que nous allions devant la classe pour parler de nos vacances estivales ou de Noël, de notre activité préférée, de présenter le type de travail que nous voulions faire plus tard, etc. J'ai obtenu la note zéro plus d'une fois. À la suite d'une expérience où je devais présenter le contenu de mes vacances d'été, je décidai d'inventer de toutes pièces une histoire de vacances assez abracadabrante parce que j'avais jugé que la mienne était banale. Lorsque je sentis qu'on y croyait très peu, je fondis littéralement sur place et tout mon corps passa du rose pâle au rouge cramoisi en moins de quelques secondes. Je refusai par la suite « d'aller en avant », même sous la menace des pires représailles des enseignants.

Mon comportement s'expliquait facilement. Le projet qui m'était imposé n'avait aucun sens à mes yeux. Ce n'était pas mon projet à moi. C'est beaucoup plus tard que j'ai compris que ma timidité me dépossédait de mes moyens uniquement lorsque je ne trouvais aucun intérêt à m'exprimer. Autrement dit, lorsqu'aucune intention « porteuse de sens » ne guidait mes actions. Je n'avais aucun intérêt à me faire convaincante, puisque je n'étais pas moi-même convaincue de quoi que ce soit. Arrivée en cinquième secondaire, nous avions le choix entre certains cours complémentaires.

L'option théâtre m'attira particulièrement. Je rêvais de jouer le rôle d'Antigone, dans une pièce de Jean Anouilh. Aux auditions, bien que très nerveuse, je me surpassai et fis partie de l'équipe. Ce projet de théâtre me rejoignait littéralement, me faisait vibrer. Je sus que je n'étais pas timide. J'appris que je ne pouvais pas faire semblant d'aimer m'exprimer devant un public. J'appris que je pouvais être convaincante quand j'étais convaincue. J'appris que je pouvais communiquer véritablement lorsque j'étais en accord avec moi-même.

À 28 ans, dans les premières années de ma carrière de consultante, je donnai ma toute première conférence devant une centaine de professionnels anglophones visés par un licenciement collectif au sein de la compagnie Kraft Canada ltée. Le contenu de cette conférence se voulait à la fois réconfortant et une source de motivation, mais il portait aussi sur la présentation de mes services et en quoi ceux-ci pouvaient accompagner au mieux mon auditoire. Le défi était de taille, sans compter que parler d'émotions dans la langue de Skakespeare est tout autre chose que de parler affaires, surtout lorsque votre langue maternelle est fièrement française.

Je me rappellerai toujours les sentiments qui m'habitaient lorsque l'on m'accompagna à travers les couloirs de l'entreprise menant à la salle de communication. Je me laissai quelques instants guider par mes peurs. Allais-je être à la hauteur ? Est-ce que je répondrai aux besoins visés par cette conférence ? Pendant que mon verbiage mental faisait augmenter ma nervosité, je m'arrêtai d'un coup et m'informai s'il y avait des toilettes tout près. Pendant qu'on m'attendait à l'extérieur, je regardai le miroir et me posai une question, une seule : « Quel est ton projet ici ? »

En l'espace d'un instant, je m'étais laissé envahir par des pensées qui n'avaient aucune utilité face au rôle que je devais tenir devant ces gens. J'avais perdu de vue mon projet. Il était temps maintenant de retrouver quel était le sens de ma visite chez Kraft.

Tout au long de ma présentation, je croyais à ce que je pouvais leur offrir et j'avais foi en mes services. J'avais repris en main ce pourquoi j'étais là, ce qui nourrissait mon besoin de m'exprimer, de communiquer quelque chose qui avait du sens à mes yeux. J'étais ancrée dans mon projet, devenue imperturbable, convaincue et convaincante !

Lorsque vous aurez vraiment trouvé votre projet, croyez-moi, jamais vous n'aurez l'impression de vendre quoi que ce soit. C'est avec joie que vous offrirez vos services et c'est avec le sentiment que ces services répondent aux besoins des gens que vous serez déterminé à les mettre en œuvre.

Est-il permis de poser des questions lors d'une entrevue ?

Permis ? vous dites. Je vous réponds que c'est une nécessité ! L'entrevue est un moment d'échanges réciproques. On vise à mieux vous connaître et vous visez à savoir dans quel environnement vous risquez de vous engager.

Lorsque vous magasinez une nouvelle automobile, vous posez de nombreuses questions sur ses caractéristiques. Vous faites de même, et encore plus, pour l'achat d'une maison, car vous désirez ce qui correspond le plus à vos besoins. Il serait bon d'appliquer les mêmes règles lorsque vient le moment de transiger ce qui vous tiendra occupé pour un minimum de huit heures par jour, et ce, cinq jours par semaine !

La peur de ne pas obtenir l'emploi nous fait oublier que le travail représente une grande partie de notre vie et qu'il est important d'en connaître le plus possible avant de s'engager. Une personne qui n'est pas à sa place dans une entreprise ne rend service à personne, pas plus qu'à elle-même.

Vers la fin d'une entrevue, posez les questions auxquelles il vous importe d'obtenir des réponses. Les questions à poser peuvent être puisées à même les informations qui vous font défaut concernant l'entreprise visitée. Il peut s'agir par exemple :

- de l'équipe de travail du service que vous visez à intégrer, de ses forces, de ses lacunes, de ses défis;

- des objectifs de l'entreprise pour l'année en cours;

- des produits ou des services visés par l'entreprise;

- du profil, des besoins et des attentes de sa clientèle;

- de la nature du poste convoité, des qualités et des attitudes qui rendront ce travail efficace aux yeux de l'entreprise;

- des attentes prioritaires de l'entreprise à l'égard du poste;

- de la raison pour laquelle ce poste doit être comblé;

- de la possibilité de faire une brève visite du service concerné.

Ne sollicitez surtout pas une visite si vous faites partie d'un processus de sélection, c'est-à-dire si vous êtes le suivant de quelqu'un qui a suivi ! Si vous vous retrouvez au cœur d'un processus d'entrevue à travers lequel cinq personnes se présentent en une même journée pour offrir leurs services, il serait surprenant que l'on ait le temps nécessaire pour répondre à votre besoin de visite.

Or si vous procédez à la mise en action de votre projet, à la manière de Laura au chapitre « S », vous éviterez assurément de vous retrouver face à face avec votre concurrence le jour de votre rencontre avec votre cliente ou client potentiel.

Pour revenir à votre question initiale, j'ajouterai que seules les questions à caractère personnel ou qui ne sont pas pertinentes dans le cadre de votre première rencontre client ne sont pas permises.

On a longtemps dit aux gens de poser des questions telles que : Quels sont les avantages sociaux ? Quel salaire offrez-vous ? Y a t-il des pauses café ? Remboursez-vous les coûts de formation ? Ces questions ne mettent aucunement en évidence votre esprit d'entreprise ou votre intérêt de contribuer au dynamisme de l'entreprise. Tout détail d'ordre technique ou financier sera traité ou négocié au moment où l'on vous offrira quelque chose. Pour le moment, c'est vous qui offrez !

Les questions que vous poserez serviront à vous donner une image plus claire de ce client potentiel afin de savoir dans quelle mesure vos services pourront y trouver leur « juste valeur ». Reportez-vous au chapitre « G » pour de plus amples renseignements.

réseau

?

Comment puis-je faire pour développer mon propre réseau de contacts ?

Spontanément, je vous répondrai que c'est en développant ce qui est le plus cher en matière de relations humaines : l'altruisme. Je m'explique. Vous consommez déjà plus d'une dizaine de services personnels ou professionnels sur une base hebdomadaire, mensuelle ou annuelle. Vous êtes déjà en relation avec des personnes qui sont elles-mêmes en contact avec des dizaines de personnes. Chaque personne que vous côtoyez possède son réseau de contacts personnel et professionnel avec lequel elle cultive des échanges, partage de l'information utile. Il est fructueux d'apprendre à mieux connaître ces gens afin qu'ils puissent mieux vous connaître à leur tour. Sortez du cercle traditionnel : amis, voisins, parents. Demeurez ouvert et disponible à votre environnement. Posez des questions, partagez vos intérêts professionnels, transmettez des informations. Un réseau de contacts, c'est quelque chose de dynamique. C'est un processus par lequel on reçoit et on transmet, que l'on construit et que l'on alimente continuellement. Si chacun savait le faire avec un sincère souci de l'autre, la recherche d'emploi serait chose aisée, puisque c'est d'abord dans l'activité souterraine des réseaux de contacts que les besoins en matière de personnel circulent !

?

Pourquoi devient-il si important d'avoir un réseau ?

Parce que nous vivons plus que jamais à l'ère des réseaux. Cela signifie que l'information de toute nature circule à une vitesse vertigineuse. Le domaine de l'emploi n'échappe pas à ce courant. En effet, de plus en plus de personnes font appel à leur réseau pour offrir leurs services, pour réaliser des sondages, pour dénicher un stage alors que des employeuses et des employeurs utilisent leur propre réseau pour rechercher des personnes qui pourront répondre aux besoins de leur organisation.

Le réseau est un véritable carrefour d'heureuses rencontres. Si le réseautage prend de l'ampleur, c'est tout simplement parce qu'il est rapide, efficace et économique. Si vous êtes d'accord avec l'adage qui dit que « le temps, c'est de l'argent », vous comprendrez donc pourquoi les besoins des entreprises sont de plus en plus « cachés ».

Vivre et travailler en réseau est la façon la plus enrichissante d'entretenir nos liens avec d'autres êtres humains. Plus de 80 % des personnes intègrent ou réintègrent le marché du travail grâce à leur réseau. Chaque personne que vous connaissez peut vous mettre en contact avec 80 autres personnes. Il faudra, tout au plus, entrer en contact avec cinq personnes pour arriver à la bonne. Il s'agit de savoir par qui passer!

?

Quels sont les inconvénients du réseautage dans le cadre de notre recherche d'emploi ?

Le réseautage ne sera d'aucune utilité et perdra toute efficacité si vos objectifs ne sont pas clairs, autrement dit, si vous n'avez pas de projet. En effet, les gens ne pourront vous aider que si vous savez ce que vous voulez et si vous le communiquez clairement.

Si vous avez l'habitude de faire appel à votre réseau uniquement dans les situations où vous avez besoin des autres, il y a fort à parier que son efficacité sera, de toute évidence, moindre. Un réseau, ça se développe... et ça s'entretient ! Soyez reconnaissant à chaque personne de sa collaboration à votre projet d'intégration au marché du travail, en gardant contact avec elle et en lui fournissant, à votre tour, toute information susceptible de l'intéresser. La qualité d'un bon réseau est fondée sur la réciprocité. Sa richesse est fonction de l'intérêt que l'on porte aux autres.

Afin de maintenir une bonne communication avec les gens que vous connaissez, il est bon de pratiquer ces exercices :

- appelez-les sur une base régulière (juste pour dire bonjour et savoir comment ça va). Régulière ne veut pas dire hebdomadaire. Choisissez votre propre rythme et maintenez-le;

- envoyez des cartes de voeux;

- retenez des coupures de presse qui pourraient intéresser les gens que vous connaissez et faites-les-leur parvenir;

- gardez contact avec les gens que vous quittez;

- remerciez les gens qui vous aident, même si la piste n'a rien donné;

- ne faites jamais de promesse que vous ne pouvez pas tenir;

- ne dévoilez jamais un secret.

?

Qui approcher et comment approcher les membres de notre réseau ? C'est parfois gênant de dire que l'on se cherche un emploi.

D'abord, sachez que vous ne cherchez pas un emploi. Vous avez des services à offrir. Cela fait toute la différence ! Ensuite, comment seriez-vous gêné d'offrir vos services si vous avez un projet qui vous tient vraiment à cœur ? De nombreuses personnes dans votre réseau de contacts devront, un jour ou l'autre, offrir leurs services. Elles ne s'empêcheront certes pas d'entrer en contact avec vous à leur tour, si ce n'est déjà fait.

La façon de procéder consiste à répondre aux trois questions suivantes :

1 Qui connaît le marché cible que je cherche à intégrer ?

2 Qui pourrait me mettre en contact avec des personnes qui connaissent le marché que j'ai ciblé ?

3 Qui offre déjà le type de services que je vise à offrir ?

Les personnes les plus aptes à vous aider sont celles qui ont de nombreuses relations professionnelles, vu leur rôle social ou économique, et qui pourraient vous fournir des pistes, de l'information et le nom de gens qui connaissent bien le marché que vous avez ciblé. Il y a celles qui travaillent directement dans le marché cible qui vous intéresse. D'autres ont fait le même choix professionnel que vous. D'autres encore sont des gens que vous côtoyez occasionnellement ou régulièrement. Enfin, ces personnes ne sont pas nécessairement des amis, mais plutôt les amis de vos amis.

L'objectif est de prendre contact avec chacune de ces personnes que vous avez répertoriées et de commencer la conversation en les informant de votre projet. Ensuite, mentionnez-leur que vous faites appel à elles pour savoir si elles connaissent des gens qui sont en lien avec le marché ou l'activité professionnelle que vous visez. Si elles n'en connaissent pas directement, demandez-leur si, parmi leur réseau de contacts, certaines personnes peuvent vous fournir des pistes dans cette direction.

Vous remarquerez que ce n'est généralement pas aux personnes de votre réseau que vous offrirez vos services; elles ne sont que des intermédiaires. Elles peuvent donc n'avoir aucun lien avec votre marché cible. L'objectif est de voir si ces personnes peuvent vous permettre d'accéder à leur réseau de contacts.

Sachez que le monde est petit et que parmi le réseau de contacts de chacune des personnes avec lesquelles vous communiquerez, il s'en trouve certainement une qui connaît quelqu'un qui connaît...

Voici un petit guide qui vous permettra de faire l'inventaire de votre réseau. Faites la liste de toutes celles et de tous ceux que vous connaissez, même si ce n'est que de nom, dans chacune des catégories qui suit. Recherchez ensuite leurs coordonnées respectives. Compilez vos informations dans un agenda ou un cahier, et mettez-le à jour !

- La famille directe et indirecte;

- Les voisins (incluant les anciens, ceux du chalet et les enfants devenus grands);

- Les amis (compagnons de classe, partenaires d'activités sportives);

- Les personnes rencontrées dans des groupes d'entraide (incluant les professionnels de la santé);

- Les personnes participant aux clubs et les activités bénévoles dont vous faites partie;

- Les personnes que vous rencontrez lors d'activités communautaires, sociales ou religieuses;

- Les personnes siégeant à des comités gouvernementaux, les politiciens, les conseillers municipaux, les députés;

- Les gens du milieu des affaires et les professionnels (fournisseurs, concurrents, vendeurs, gens des chambres de commerce, réseau de gens d'affaires, coiffeur, épicier, garagiste, propriétaire du dépanneur, agent immobilier, notaire, comptable, avocat, ostéopathe, chiropraticien, dentiste, etc.).

? Pourrais-je utiliser mon réseau de contacts pour me trouver un mentor ?

C'est l'une des meilleures façons de faire pour en dénicher un! À cet effet, consultez le chapitre « M » pour des regroupements, des associations de professionnels et des sites Internet qui peuvent vous guider en ce sens.

ʂtratégie

Un entrepreneur sans plan d'affaires,
c'est comme un chercheur d'emploi sans stratégie.
Tout ce que les deux réussissent à faire,
ce sont des sauts en bungee !

?

Vous dites que l'entrepreneur use de stratégie, le moment venu de mettre ses produits ou services en marché.
De quelle façon vais-je m'y prendre pour donner une orientation stratégique à mon projet ?

À chaque étape de son projet, l'entrepreneur découvre de l'information et se l'approprie. Cette information lui permet d'orienter son projet de façon stratégique. L'information procure beaucoup de pouvoir sur l'orientation stratégique d'un projet. Ne dit-on pas qu'une personne avisée en vaut deux ?

On définit le mot « stratégie » comme étant l'art de coordonner des actions, de manœuvrer habilement pour atteindre un but. Pour donner de « l'art » à votre projet, vous procéderez à la manière de l'entrepreneur, c'est-à-dire en vous appropriant de l'information au cours de l'étude de votre marché.

?

Je ne vais tout de même pas lancer une entreprise. Pourquoi alourdir autant la procédure avec une étude de marché ?

Vous savez quelle est la principale lacune des personnes qui visent à intégrer le marché du travail ? C'est la méconnaissance du marché du travail. On consacre beaucoup de temps à découvrir ses intérêts, ses forces, ses compétences, ses réalisations, sa valeur ajoutée, etc. Cela nous permet de mieux faire valoir nos services auprès de nos clientes et clients potentiels. Or, pour avoir le plaisir de nous rendre à cette étape, une panoplie d'informations nous manquent.

L'étude de votre marché, loin d'être superflue, est l'étape décisive de votre entrée en scène auprès de vos clientes et clients potentiels. Pour vous permettre de mieux comprendre l'importance de bien connaître votre marché, j'utiliserai l'exemple de Laura.

J'ai rencontré Laura alors qu'elle terminait une formation d'une année en contrôle de la qualité industrielle. Elle s'était orientée dans cette direction lorsque l'entreprise pour laquelle elle travaillait avait fermé ses portes.

Après avoir élaboré son projet en neuf étapes, Laura s'est dite prête à entreprendre la réalisation de son projet. Voici donc son projet et la façon dont elle l'a orienté.

Le projet de Laura

Laura vise à offrir ses services pour l'implantation d'un programme d'assurance qualité basé sur la certification des entreprises aux normes ISO.

La description de ses services

Sur le plan des études, Laura possède un baccalauréat en génie industriel ainsi qu'une formation en contrôle de la qualité.

Sur le plan professionnel, Laura compte huit années d'expérience en gestion industrielle, dont trois à titre de superviseure de la production. Dans son offre de service, Laura décrit ses aptitudes techniques ainsi que ses réalisations. Elle souligne les qualités professionnelles qui la caractérisent le mieux et qui ajoutent de la valeur à son projet.

Sur le plan humain, Laura fait valoir ses valeurs personnelles et professionnelles, son approche vis-à-vis de l'implantation de changements, sa vision d'une équipe efficace ainsi que les modes de communication qu'elle favorise. Enfin, elle résume en définissant l'importance de son rôle et les résultats qu'elle entend générer.

Le choix d'un secteur d'activité et d'un marché cible

À partir de critères personnels et professionnels, Laura choisit d'offrir ses services au secteur du meuble. Par une recherche sur le site Internet du ministère de l'Industrie et du Commerce, elle découvre que ce secteur est composé de trois types d'industries : les fabricants de meubles de maison, les fabricants de mobiliers et d'articles d'ameublement pour hôtels, restaurants et institutions et, finalement, les fabricants de meubles de bureau.

En faisant cette recherche, Laura a aussi appris que le secteur du meuble regroupe les marchés cibles, des grossistes, des détaillants, des distributeurs et autres entreprises de services. Elle a cependant éliminé ces marchés, sachant que ses services étaient destinés aux fabricants. En effet, comme son nom l'indique, l'implantation de programmes de contrôle de la qualité industrielle s'adresse aux industries.

L'identification du territoire cible

Laura précise l'orientation de son projet en choisissant d'intervenir sur le territoire de la Montérégie. Puisque cette région administrative est très vaste, elle aurait pu privilégier certaines villes, mais elle veut faire preuve de mobilité sur l'ensemble de ce territoire. La poursuite de ses recherches, grâce à l'information du MIC, l'amène à découvrir le bassin de clients potentiels regroupés dans son territoire cible.

Le bassin de clients potentiels

Laura trouve un total de 185 fabricants œuvrant dans le secteur du meuble, dans le territoire de la Montérégie. La majorité d'entre eux ont moins de 49 employés. Neuf entreprises ont entre 50 et 199 employés et deux autres, plus de 200 employés.

Laura souhaite maintenant connaître les besoins de ces entreprises en matière de contrôle de la qualité industrielle. Elle se demande aussi combien d'entre elles ont implanté un programme visant la certification aux normes ISO, et combien seraient intéressées à une étude visant à évaluer la rentabilité ou la pertinence d'un tel programme dans leur entreprise. Ces questions donneront une orientation stratégique à son projet et lui ouvriront la porte vers l'étude approfondie de son marché.

▨ L'étude de marché

Sans le savoir, Laura a amorcé l'étude de son marché dès l'instant où elle a commencé ses recherches sur les sites Internet et les diverses sources documentaires.

Pour trouver réponse à ses questions, Laura décide de réaliser un sondage auprès de son bassin de clientèle. Car ce n'est que cette dernière qui pourra répondre à ses questions. Elle comprend que plus elle est informée, mieux elle pourra répondre aux attentes, aux problèmes et aux besoins de ses clientes et clients potentiels.

Pour procéder à son sondage, elle dresse la liste des 185 entreprises recensées. Chacune aura sa fiche clientèle sur laquelle elle indiquera les informations tirées du sondage. Un scénario téléphonique l'aidera à présenter le but de son appel.

▨ La communication avec les clientes et clients potentiels

Sur les 185 entreprises ciblées, 95 affichent divers besoins en matière de qualité. De ces 95 entreprises : 53 mentionnent que la période actuelle n'est pas propice à la réalisation d'une étude visant à évaluer la pertinence d'un programme de contrôle de la qualité dans leur entreprise; 33 demandent à Laura de leur faire parvenir son offre de service; et 9 acceptent de la rencontrer en entrevue.

Lorsqu'on pense qu'au XXᵉ siècle, les chercheurs d'emplois pouvaient envoyer des centaines de C.V. un peu partout pour obtenir peut-être une entrevue, et souvent pas du tout !

Un projet qui a du sens à nos yeux et qui est planifié puis réalisé avec esprit d'entreprise devient à coup sûr un projet voué au succès.

Quels que soient les services que vous visez à offrir, laissez-vous guider par le projet de Laura pour vous familiariser avec cette approche et, surtout, pour vous mettre en confiance.

Il existe de très nombreuses sources d'information sur les secteurs d'activité économique et les entreprises. Or, pour une information à jour, il est préférable d'utiliser la voie électronique pour effectuer vos recherches.

Pour réaliser votre étude de marché, je recommande quatre sources électroniques d'information :

- MIC : http://www.mic.gouv.qc.ca/

- Statistique Canada : http://www.statcan.ca/start_f.html

- Strategis : http://Strategis.ic.gc.ca/

- *Les Affaires* : http://lesaffaires.com

En faisant votre étude de marché sur ces sites, vous aurez aussi l'occasion d'amorcer votre liste d'entreprises clientes. Les sources documentaires serviront ensuite à compléter l'information manquante quant aux entreprises cibles. Les sources documentaires toujours pertinentes sont :

- les pages jaunes (www.pagesjaunes.ca);

- les listes informatisées des centres locaux d'emploi;

- les listes des corporations régionales de développement économique;

- le répertoire des produits disponibles au Québec réalisé par le CRIQ;

- le répertoire Scott's des entreprises manufacturières.

transparence

*Ce que je vois en cette personne me parle si fort
que j'ai peine à entendre ce qu'elle me dit.*

?

Comment puis-je faire pour me sentir plus confiant en entrevue ?

Le sentiment de confiance apparaît lorsque nous croyons en ce que nous offrons et que nous sommes convaincus de la pertinence de ces services sur le marché du travail. La confiance n'est pas un objectif à atteindre, c'est un résultat qui naît de notre désir authentique de faire les choses qui sont en accord avec ce que nous sommes.

Malgré tous les préjugés et les messages contradictoires que vous avez pu absorber votre vie durant, sachez que si vous tenez vraiment à mettre à profit vos intérêts et vos compétences dans un emploi, vous y réussirez si vous croyez en ce que vous êtes.

Sachez que plusieurs grands noms d'aujourd'hui et d'hier ont dû faire taire de nombreux messages contradictoires qu'ils avaient reçus avant de parvenir à se faire confiance. La source profonde de leur réussite réside dans le fait qu'ils ont accordé tellement de foi en ce qu'ils croyaient, qu'ils ont pu dépasser les obstacles et les peurs qui nuisaient à l'atteinte de leurs objectifs. Croyez assurément à ce que vous avez à offrir et, surtout, n'ayez pas peur de partager vos craintes.

J'aimerais savoir comment je peux me distinguer de plusieurs autres candidats lors d'une entrevue.

Vous vous démarquerez lors d'une entrevue en étant le plus sincère, le plus vrai et le plus crédible. C'est votre savoir-être qui, en tout temps, fera toute la différence. Les gens qui vous reçoivent en entrevue ont le difficile mandat de trouver la personne qui correspond le mieux au profil recherché pour mener à bien le travail à réaliser. Outre les compétences techniques, ils rechercheront une personne qui possède des qualités humaines qui ajouteront de la valeur au travail à réaliser. Si vous ne connaissez pas les caractéristiques de vos concurrents, vous devez savoir quelles sont les vôtres et ce que vous pouvez apporter à cette entreprise en matière de valeur ajoutée.

- À compétences égales, qu'est-ce qui vous distingue des autres personnes offrant les mêmes services que vous ?

- Pourquoi cette entreprise, à qui il vous plaît d'offrir vos services, devrait-elle vous embaucher ?

Ce sont là des questions auxquelles vous trouverez réponse si votre projet d'emploi est ancré sur des bases solides. Plus vous serez convaincu de votre projet, plus vous serez convaincant !

J'ai les compétences en informatique recherchées par plusieurs entreprises. Je n'ai aucun problème à me rendre en entrevue. J'en suis à ma cinquième entrevue auprès de cinq employeurs différents, mais ça ne va jamais plus loin. Qu'est-ce qui peut clocher ?

Le fait de posséder d'excellentes compétences techniques dans un domaine ou d'être à la fine pointe dans un secteur d'activité ne garantit pas instantanément un emploi. Une entreprise recherche toujours le candidat idéal, c'est-à-dire une personne qui se rapproche le plus près possible du portrait qu'elle aura défini pour répondre à ses besoins. Bien que vous connaissiez certains des critères recherchés à un poste donné, vous n'aurez jamais une image détaillée des multiples facteurs qui entrent en jeu lors d'un processus de recrutement. Cela fait partie des choses sur lesquelles vous n'avez que peu de contrôle. C'est donc de votre côté qu'il faut regarder pour découvrir ce qui cloche. Entre deux candidats qui ont des compétences égales, ce sera souvent l'attitude qui fera la différence.

Quelle attitude avez-vous en entrevue ?

Passez en revue chacune de vos entrevues. Observez votre attitude avec objectivité. Si cet exercice vous semble difficile, il vous serait sans doute profitable de simuler une entrevue sur vidéo. En visionnant votre façon d'être en entrevue, vous pourriez trouver là des pistes intéressantes.

?

Comment un employeur qui ne me connaît pas peut-il déterminer, en quelques minutes d'entrevue, que je suis la « bonne personne » ?

Lors d'une entrevue, on « entrevoit » beaucoup de choses. D'abord, sachez que si vous vous rendez en entrevue, c'est qu'à la base, votre cliente ou client potentiel sait que vous possédez certaines des caractéristiques recherchées pour répondre à ses besoins, que ce soit pour avoir lu votre offre de service ou pour vous avoir parlé au téléphone. À sa façon, on peut alors dire que cette personne possède déjà plusieurs informations vous concernant. L'entrevue consistera ensuite à valider si ce que vous avez à offrir est bel et bien en lien avec les besoins à combler. Or, dans tout poste à combler, on ne vise pas qu'à établir l'adéquation parfaite entre services à offrir et besoins à combler, sans tenir compte des effets de votre personnalité sur la personne qui « entrevoit ».

En effet, retenez que 93 % de ce que vous communiquez lors d'une entrevue relève du non-verbal. Rappelez-vous la première fois que vous avez rencontré un ami, l'un de vos voisins, un nouveau professeur, la nouvelle blonde de votre frère. Quelles étaient vos premières impressions ? Le fait est que, dès les premières minutes d'une rencontre avec une personne, nous captons une foule d'informations qui nous fournissent une véritable photo instantanée de notre interlocutrice ou de notre interlocuteur.

Notre « évaluation » s'articule à partir de nos propres critères « sélectifs » qui, soit dit en passant, diffèrent d'une personne à une autre. Ainsi, la photo qu'une cliente ou qu'un client potentiel prend de vous est influencée non seulement par la façon dont cette personne vous perçoit selon ses propres schèmes de préférence, mais aussi par les critères qu'elle s'est fixés quant au type de personnalité recherchée pour répondre aux besoins précis du poste à combler.

Dans les 93 % de communication non verbale, nous retrouvons 38 % pour le ton de la voix et 55 % pour le langage corporel. Seulement 7 % de la communication s'établit autour des paroles ou du discours. Ainsi, lorsque vous dites que vous êtes une personne très motivée, mais que rien dans votre ton de voix ou dans votre expression corporelle ne laisse transparaître cette affirmation, comment peut-on y croire !

Or, si votre projet vous tient réellement à cœur et que vous croyez aux services que vous avez à offrir, vous trouverez inévitablement les mots pour le communiquer. À l'inverse, si vous n'êtes pas convaincu que vous pouvez répondre aux besoins de votre cliente ou client potentiel, c'est votre doute que vous laisserez transparaître. C'est pour cette raison – et je le répète souvent – qu'il est tout à fait inutile d'apprendre des réponses « par cœur » lors d'une entrevue. Si les paroles comptent pour 7 % dans l'entrevue, c'est que votre préparation aux entrevues se fait à un tout autre niveau.

La seule façon d'obtenir un ton de voix et un langage corporel transparents, puisque ce sont sur ces aspects que s'exprime l'essentiel, c'est de travailler énergiquement à votre projet. Plus vous aurez une image « transparente » de vos services et de votre marché cible, plus ce court moment de rencontre sera enrichissant.

En conséquence, l'essentiel du travail que vous avez à faire est d'investir dans la réalisation entreprenante de votre projet en maîtrisant les informations reliées à deux grands ensembles tout aussi importants l'un l'autre.

1. Tout ce qui parle de vous.

Vos connaissances, vos compétences, vos attitudes, vos valeurs, vos intérêts, vos expériences, vos réalisations, votre valeur ajoutée, votre façon de voir ce projet qui vous tient à cœur, ce qui vous motive à faire partie d'une équipe, ce qui vous stimule à offrir ces services, ce sur quoi vous misez pour vous démarquer de votre concurrence, ce qui fait votre différence, ce que vous maîtrisez, les compétences que vous aspirez à développer, ce qui fait que votre projet sera un succès, etc.

2. Tout ce qui a trait à votre marché cible.

Votre connaissance de vos clients potentiels et de leurs besoins, la problématique de leur secteur d'activité, leur mission, la connaissance de leurs produits et services ainsi que de leurs différentes succursales, ce sur quoi ils fondent leur réussite, leurs concurrents, leurs forces et, bien sûr, pourquoi ce marché cible vous intéresse particulièrement.

Si vous avez négligé le chapitre « P », revenez-y afin de développer votre projet, étape par étape. Si cela est chose faite et que vous êtes prêt à rencontrer votre cliente ou client potentiel, passez en revue les points suivants :

- Je revois les motifs, les buts que je poursuis au cours de cette rencontre;

- Je me remémore mon projet et reprends, point part point, les éléments qui figurent sur mon offre de service afin de bien m'en imprégner;

- Je cultive la confiance en visualisant ces moments où j'ai ressenti de la confiance et de la détermination;

- Je souris en toute situation;

🖋 Je m'exerce à parler de moi, c'est-à-dire à parler de mes services avec conviction, car j'ai tout à offrir et... rien à vendre ou à quémander !

?

À quoi pouvons-nous nous attendre lors d'une entrevue ?

Selon le poste à combler, l'entreprise et la personne qui vous reçoit en entrevue, vous pouvez avoir à :

🖋 dresser le portrait de vos services, en réponse à l'invitation : « Parlez-moi de vous! »;

🖋 répondre à des questions qui serviront à mieux cerner votre profil professionnel;

🖋 réagir à des mises en situation quant à votre attitude face à certaines situations concrètes de travail et à la façon dont vous percevez votre rôle;

🖋 remplir des questionnaires qui viseront à mesurer vos connaissances, vos compétences, ou à définir votre personnalité.

Notez cependant que les personnes qui vous reçoivent en entrevue n'ont pas pour objectif de vous piéger, mais de vérifier si les services que vous offrez répondent aux besoins de leur entreprise. Puisqu'une entrevue est un court moment, il est donc à leur avantage de poser les questions qui leur permettront d'obtenir un maximum d'informations pertinentes. La prochaine fois que vous vous rendrez en entrevue, rappelez-vous cette phrase : « *Cette personne que je vais rencontrer a un sérieux problème.* »

En effet, l'entreprise au sein de laquelle travaille cette personne aspire à bien servir sa clientèle, mais il lui manque une personne clé : vous ! Elle a donc un sérieux problème: elle doit trouver la bonne personne. L'autre problème, plus grand encore, c'est qu'elle dispose de très peu de temps pour le faire. De plus, on lui confie le mandat de ne pas se tromper, car embaucher une personne qui n'est pas à sa place coûte très cher à l'entreprise. Sa crédibilité est donc en jeu.

Vous comprenez alors pourquoi ces personnes sont si inquiètes et si préoccupées lorsqu'elles vous rencontrent !

Votre rôle est donc de les rassurer en leur laissant savoir en quoi vos services peuvent répondre à leurs besoins et pourquoi vous êtes cette personne clé qui permettra à leur entreprise de bien servir sa clientèle.

En allant rencontrer cette cliente ou ce client potentiel, rappelez-vous que : « *Cette personne a un sérieux problème* » et dites-vous bien qu'au même moment, elle aussi prononce une phrase clé : « *Est-ce que cette personne pourra régler mon problème ?* »

Univers

L'Univers primordial est peuplé de matière,
bonne puisque nous en sommes composés,
et d'antimatière, vilaine parce qu'elle peut tout annihiler.

Hubert Reeves

?

Mon projet, c'est de faire du théâtre. Mon problème, c'est que personne ne m'encourage à persévérer dans cette voie. On dit qu'il y a beaucoup d'appelés et peu d'élus. Mes parents souhaitent donc que je me trouve un vrai projet, mais rien d'autre ne m'intéresse autant, car je sais que j'ai ce qu'il faut pour y arriver.

J'ai l'habitude de dire : « L'univers travaille pour nous lorsque nos intentions sont authentiques. » Si ce projet vous tient à cœur, vous trouverez les mots ou la façon d'exprimer votre motivation et convaincre votre entourage du bien-fondé de votre projet. Qu'est-ce qui fait que vos intentions sont claires ? Sur quoi vos parents peuvent-ils se fonder pour être convaincus de votre orientation ?

Êtes-vous déjà engagé dans une activité théâtrale para-scolaire ou communautaire ? Si oui, faites en sorte que vos parents assistent à l'une des représentations. S'ils résistent, invitez d'autres membres de votre famille, des voisins ou des connaissances familiales. Autrement dit, sachez reconnaître ceux et celles qui vous appuient. Si vous n'êtes pas déjà engagé dans une telle activité, sans doute serait-il utile, d'abord pour vous-même, de valider cette orientation. Les quelques démarches qui suivent sauront démontrer à vos parents le sérieux de votre orientation et, surtout, valider votre orientation dans cette voie :

- réalisez des tests psychométriques pour confronter votre profil à celui des comédiens. Notez que cette seule démarche ne suffit pas;

- faites un stage d'observation dans une école de théâtre ou dans une salle de spectacles où des comédiens sont en répétition;

- sollicitez une entrevue auprès d'un comédien. Renseignez-vous auprès de l'Union des artistes et faites-lui valoir l'objectif de votre démarche;

- enfin, rencontrez quelques professeurs de théâtre. Ils vous donneront l'heure juste sur le pouls du marché et sur les critères ou les caractéristiques qui font en sorte qu'un étudiant deviendra un véritable comédien.

Si vous procédez à l'ensemble de ces démarches, vous aurez un aperçu réaliste du métier. Vous pourrez ainsi infirmer ou confirmer votre orientation. Si ces démarches ont renforcé votre intention de devenir comédien, elles rassureront aussi vos parents. Ils verront qu'il n'y a pas là qu'un rêve !

De plus, votre détermination à valider votre choix professionnel « sur le terrain » vous fera peut-être découvrir des « partisans » insoupçonnés. Votre ténacité à solliciter de multiples rencontres affichera d'emblée une qualité recherchée dans le milieu des artistes. Enfin, si telle est votre place, sachez que l'univers vous accompagnera en se chargeant du reste.

?

Je suis mère de deux garçons dont l'un termine ses études de niveau secondaire et l'autre amorce sa deuxième année au collégial. Je fais tout en mon pouvoir pour les aider à ne pas décrocher des études, bien que, parfois, cela ressemble à une vraie mission. Comment les aider à voir l'importance des études afin de créer leur place sur le marché du travail ?

Encourager nos enfants à rester aux études est assurément une mission. C'est une mission que nous nous donnons, car nous voulons leur bien et souhaitons leur épargner défaites, obstacles ou difficultés. Or vous avez sans doute remarqué qu'il ne suffit pas de leur répéter maintes fois que l'élément de la cuisinière est brûlant pour éviter qu'ils y touchent. Plusieurs jeunes ont besoin d'être confrontés à la réalité pour apprendre. Ce test de la réalité peut se faire de plusieurs façons, selon ce en quoi vous croyez en tant que parent.

Prenons l'exemple de ma mère. À la fin de mes études de cinquième secondaire, il y avait de nombreux mouvements de grève chez les enseignants. Voulant les soutenir ou par esprit de délinquance, j'avais accompagné des groupes d'enseignants dans leurs débrayages sporadiques. Ce faisant, je fus beaucoup pénalisée, car je ratai plusieurs périodes où les enseignants étaient présents pour donner leurs cours. Mes notes chutèrent et j'eus de la difficulté à réussir les examens de mi-étape du ministère de l'Éducation. Au même moment, ma grande amie venait de décrocher des études pour aller travailler à titre de préposée à la chaîne de montage d'une usine, et cela m'influença beaucoup. Je voulais « décrocher », moi aussi. Lorsque je présentai ma décision à ma mère, elle me dit : « Bon, tu veux aller travailler toi aussi en usine. Soit, allons en visiter une ! » J'avoue que j'étais stupéfaite, mais connaissant bien ma mère, je soupçonnai un piège. Je l'accompagnai alors qu'elle fonçait déjà, tel un guerrier au combat, en direction de l'usine de matelas Serta située à quelques rues de chez nous. Nous n'avions pas pris rendez-vous. En principe, ça ne se faisait pas d'aller visiter une usine sans au moins demander la permission. Ma mère avait entrepris de me convaincre et rien ne ferait obstacle à son objectif. Au lieu de prendre l'entrée principale, elle se dirigea tout droit vers l'entrée des employés. La noirceur à l'intérieur contrastait, d'un coup, avec la lumière du jour. Nous n'avions pas fait trois pas que mes oreilles étaient déjà envahies par le bruit intense et incessant des machines qui soulevaient des dizaines de cadres de matelas en les faisant ensuite rebondir, après qu'une quarantaine de femmes haïtiennes, portugaises ou italiennes fixaient des lignées de ressorts aux extrémités des cadres. Ces femmes courageuses travaillaient comme des forcenées dans des conditions de misère, suant de tout leur saoul et sous l'extrême chaleur que dégageaient ces machines diaboliques. Aucune fenêtre dans cet environnement, seule une porte au fond était ouverte pour laisser passer une timide brise d'air. Nous déambulâmes en ligne droite, traversant l'usine pour ressortir par la porte principale. La réceptionniste nous remarqua, bien sûr, mais ma mère ne lui donna aucune explication. Tout comme moi, elle était pressée de sortir de là au plus vite. Nous restâmes toutes les deux muettes à la suite de cette visite. Elle m'avait convaincue et j'avais compris. Les mots s'avéraient totalement superflus.

Toute cette histoire pour vous dire enfin que la vie n'est pas un jeu de l'oie où on se déplace de case en case, au gré des chiffres qu'indiquent les dés. Tant pour les jeunes que pour nous, les cases ne sont pas dessinées et les dés n'ont que des faces blanches; il n'y a aucun chiffre pour nous guider. Ce n'est pas le dé qui décide du chemin que nous devons parcourir, mais chacun de nous, au meilleur de notre connaissance. On s'évertue à dire à nos jeunes de se tailler une place dans la société. Or, ils l'ont déjà cette place, et notre rôle consiste à les encourager à découvrir le parcours qui correspond le mieux à ce qu'ils sont et à ce qu'ils ont à offrir aux autres, à la société, au marché du travail, à la société tout entière.

Bien sûr, j'ai eu la chance d'avoir une mère « missionnaire » qui m'a confrontée à la réalité. Sa démarche m'a raccrochée à ce que je voulais quitter. Or, ce que cette expérience m'a vraiment permis d'apprendre n'est pas l'importance de rester aux études. J'ai appris, ce jour-là, qu'intégrer le marché du travail n'avait aucun sens, à moins d'avoir un projet qui me permette de mettre à profit le meilleur de moi-même.

Dans son livre intitulé *Je serai de l'autre côté de la rive,* Nicole Mongrain Forcier écrit : « *Être responsable de quelqu'un, c'est l'orienter vers une situation de bonheur.* » Au cours de votre mission auprès de vos enfants, je vous encourage donc à consulter des conseillères ou des conseillers d'orientation afin que d'autres personnes puissent aussi les encourager à découvrir ce projet qui aura du sens à leurs yeux et qui, par ricochet, les incitera à rester bien accrochés à leurs études.

De mon temps, les choix de carrière étaient facilement identifiables. Or, pour nos enfants, les choix se sont multipliés par mille. C'est pourquoi on emploie, à raison, l'expression « univers professionnel ». En effet, face à l'univers, un enfant est à même de constater combien il est vaste, inconnu, troublant, voire angoissant. Face au marché du travail des années 2000, il réagit de pareille façon, car il sait déjà que l'univers professionnel est en pleine expansion.

?

J'ai souvent l'impression que nous sommes une monnaie d'échange pour faire fonctionner un système économique qui ne se préoccupe que de lui-même. Je crois que nous accordons beaucoup trop d'importance à notre rôle professionnel. Ne sommes-nous pas la seule espèce vivante qui investit plus qu'il ne faut pour répondre à ses besoins fondamentaux ?

La fourmi en fait-elle trop, lorsqu'elle transporte jusqu'à sept fois son propre poids ? Vous soulevez toutefois deux points fondamentaux. Premièrement, ce qui nous distingue du règne animal est notre capacité de penser à l'avenir, donc de faire des projets. Les animaux ne s'imaginent pas qu'aujourd'hui succédera à demain. Sans dire qu'ils n'ont aucun repère qui marque le temps, il apparaît cependant qu'ils ne vivent pas en fonction de l'avenir. C'est là pour eux, sans doute, un problème de moins parmi tous ceux auxquels ils ont à faire face pour assurer leur survie. Quant à l'espèce humaine, il est permis d'affirmer que nous nous sommes heureusement libérés de multiples problèmes re-liés à notre survie grâce à l'évolution technologique. Sans notre imagination, l'espèce humaine n'aurait pu survivre, vu sa relative fragilité, comparativement aux autres espèces. Sans imagination, notre espérance de vie aurait, tout au plus, maintenu le cap des 40 ans, comme ce fut le cas durant de nombreuses années. Ainsi, notre capacité à imaginer des solutions aux problèmes que nous vivons crée ce qu'on peut appeler une volonté d'en faire plus pour améliorer nos con-ditions de vie, en gardant à l'esprit notre désir de répondre à nos besoins fondamentaux. Si notre rôle professionnel peut concourir à améliorer ou à répondre à des besoins nette-ment exprimés au sein de notre population, est-ce fou de vouloir accorder à ce rôle toute l'importance qu'il mérite ?

Deuxièmement, en faisons-nous trop ? Là est une autre question que vous soulevez. À cela, je m'empresse de recou-rir aux chiffres. À la rédaction de ces lignes, nous savons d'ores et déjà que nous ne vivrons pas l'équivalent de trois milliards de secondes. Un simple calcul vous permettra de découvrir que cela équivaut à un siècle. Face à cette évi-dence, et même s'il fallait un jour ajouter à cela quelques millions de secondes, nous n'échapperons pas à notre aven-ture éphémère. Étant face à des lois qui nous échappent, nous revenons à la case départ des choix. Que voulons-nous faire de notre vie ? Quelle saveur voulons-nous lui donner ?

Les réponses à ces questions relèvent du domaine stric-tement personnel. Ce que vous choisirez de « trop faire » d'un côté ne vous permettra pas d'en faire autant d'un autre, car il n'y a pas de système qui dépasse les 24 heures d'une journée ou qui compresse en 24 heures les 52 dont on aurait besoin pour équilibrer sa vie active.

Le dosage est, chez l'être humain, une responsabilité tout à fait personnelle. Ainsi, si vous croyez personnellement en faire trop, et que l'enjeu de votre investissement profession-nel est davantage au profit des autres qu'à votre propre profit, rien ne vous empêche d'assumer totalement votre per-ception des choses, de répondre à vos besoins fondamentaux et de vivre ainsi vos trois milliards de secondes. Si votre choix « véritable » est d'en faire moins, vous serez alors tout à fait en accord avec votre degré d'investissement professionnel.

En contrepartie, vous serez sans doute bien placé pour comprendre et accepter qu'une entreprise aura, elle aussi, le strict choix de privilégier quelqu'un qui en fait plus, si cela répond à un critère qu'elle s'est donné ! Chaque fois que vous affirmez un choix, c'est l'univers entier qui y répond. Bon choix ou mauvais choix, là n'est pas la question. Il s'agit en tout temps d'assumer pleinement ce qui vient avec le choix.

ision

Les stratégies s'imposent d'elles-mêmes lorsqu'on a une vision.
Robert Fritz

?

Lors d'une entrevue, on m'a d'abord interrogé sur la vision de mon rôle en tant qu'ingénieur. On m'a ensuite demandé en quoi j'ai fait preuve de vision dans mes expériences professionnelles antérieures. Surpris par de telles questions, j'ai eu de la difficulté à bien répondre.

Avoir de la vision est une valeur ajoutée dans un contexte économique tout à fait instable et nébuleux. Puisque les entreprises doivent dorénavant composer avec les comportements et les réactions de leurs marchés, cela crée une incertitude sans cesse grandissante. « Quoi produire, comment produire, pour qui produire et où produire ? » sont des questions qui ont toujours fait partie des préoccupations des gestionnaires d'entreprises. Les mêmes questions existent toujours, mais y répondre est devenu beaucoup plus complexe parce que les enjeux ont changé. La part d'erreur est mince, lorsque des milliers de clients ou des millions de dollars sont en jeu.

Pour cela, on associe à la vision d'autres qualités ou aptitudes toutes aussi indispensables, tels le jugement, l'esprit d'analyse, la capacité de prendre rapidement des décisions. Ainsi, au lieu qu'une entreprise se place en position de réaction face aux événements et risque des pertes de marché au profit de la concurrence, il est très important qu'elle se dote, à des postes clés, de personnes qui puissent faire preuve de vision afin que l'entreprise devienne « proactive » et non pas « réactive ».

Les gens qui vous ont posé ces questions avaient certes besoin d'un ingénieur compétent, mais ils recherchaient, sans doute aussi, une personne qui puisse « voir » son rôle et au-delà de celui-ci, en dépit des zones de brouillard et d'incertitude. On dit des marchés boursiers qu'ils sont nerveux. À certains postes stratégiques, le marché du travail est, lui aussi, nerveux, au même titre que les marchés boursiers. Les questions que l'on vous a adressées sont très importantes et tout gestionnaire ou professionnel clé doit s'y attarder.

?

Je vise dorénavant à offrir mes services dans un cadre d'activité professionnelle qui n'exige pas une capacité de vision. Lorsqu'on en fait preuve, on fait face à de nombreuses résistances. Ce n'est pas toujours facile de faire passer sa vision dans une équipe de travail. Il faut souvent se montrer très convaincant !

Oui, très convaincant. Mais surtout, très convaincu ! De toute l'histoire des découvertes ou des grandes réalisations, nous pouvons affirmer une chose : en tout temps, nous devons l'évolution de nos connaissances à une personne marginale ou obstinée qui a cru en sa vision des choses et l'a défendue jusqu'au bout. Bien sûr, nous parlons peut-être de Galilée, Copernic, Einstein, Edison et plusieurs autres. Mais ce n'est pas nécessairement dans les grandes découvertes que la vision peut être mise à profit.

Comme vous le dites, la principale difficulté est de communiquer notre vision aux autres en souhaitant qu'ils s'y rallient. C'est parfois un défi, mais c'est davantage une occasion plutôt extraordinaire de mesurer la subtilité de notre vision. Pour passer un message, il existe plusieurs techniques. Or, partager une vision n'a rien de technique. Il ne suffit pas de planifier, de préparer et de présenter. Il s'agit de

« transmettre », c'est-à-dire faire parvenir, communiquer ce qu'on a reçu, permettre le passage, agir comme intermédiaire.

Autrement dit, quelqu'un qui communique sa vision devient une sorte de canal de transmission, le sujet par lequel cette vision pourra être vue et connue de tous. Ainsi, pour transmettre une vision de sorte qu'elle puisse être partagée, il faut s'en défaire afin que les autres se l'approprient. Les visions ne nous appartiennent pas. Nous sommes à leur service afin qu'elles puissent se concrétiser et permettre l'avancement des choses dans la réalité.

?

Comment est-il possible de faire preuve de vision face à notre projet d'intégration au marché du travail ?

Au Moyen Âge, deux hommes cassaient des pierres sur un chantier de construction. Un passant demande au premier ce qu'il fait. « *Vous voyez bien que je casse des pierres* », répond l'homme, bourru. Le passant pose la même question au second qui répond, l'œil brillant : « *Je construis une cathédrale !* »

Ces deux hommes n'avaient certes pas la même vision de leur travail. La vision, c'est donc ce qui distingue un projet professionnel d'un autre. De nombreux entrepreneurs en font preuve, puisqu'ils savent faire fructifier leur entreprise et lui donner une direction qui répondra à des besoins sur le marché. Ces personnes ont aussi l'habitude de visualiser leur succès. Ceci les aide à mettre en forme leur vision, à la rendre concrète, réalisable et viable. Elles s'imaginent déjà sur le terrain, dans la fébrilité de l'action. Elles ajoutent à cela l'aspect auditif de l'action : quels bruits mon environnement contient-il ? Enfin, elles ressentent ce qu'elles retirent de cette vision : estime de soi, confiance, satisfaction, détermination, etc.

Vous pouvez faire de même afin de vous approprier un peu plus votre projet et ancrer ces images de réussite dans votre esprit. Elles vous seront précieuses tout au long des étapes menant à votre intégration au marché du travail.

Dans son livre intitulé *Votre chemin de vie*, Dan Millman écrit : « *Lorsque nous trouvons une chose qui nous inspire vraiment, ce but brille comme un phare pour nous guider à travers le marais, pour nous rappeler ce qui nous attend au bout de la route.* »

Le fait d'avoir un projet porteur de sens est donc un préalable à la qualité de votre vision et au succès de ce projet. Aucune réussite n'arrive d'elle-même, il faut la faire sienne, la choisir. Même un gain de 3 millions de dollars à la loterie ne l'achètera pas. Vous seul avez le pouvoir de la faire prendre forme dans la réalité. Le fait de visualiser votre réussite vous aidera probablement à mieux la définir, à vivre ses rebondissements et à ressentir le sentiment de fierté qui l'accompagne.

- Imaginez que vous êtes au travail, mettant à profit les services que vous avez à offrir et qui font en sorte que votre projet ait un sens à vos yeux.

- Décrivez l'environnement qui vous entoure, le travail qu'on y effectue ou le secteur d'activité économique dans lequel vous mettez vos services à profit.

- Y a-t-il des gens autour de vous ? Si oui, qui sont-ils ?

- À quoi ressemble le client pour lequel vous travaillez ?

- Quelles sortes d'échanges avez-vous avec les gens autour de vous ?

- Qu'entendez-vous : le bruit du téléphone ? un appareil spécialisé ? un outil de précision ?

- Qu'êtes-vous en train de faire ? Quel projet vous a-t-on confié ?

- Comment vous sentez-vous dans cet environnement, dans ce travail que vous réalisez, face aux gens qui vous entourent ?

- Imprégnez-vous des images qui vous font ressentir en accord avec vous-même.

- Retournez à ces images lorsque vous en sentirez le besoin. Cela vous aidera à vous garder sur la route de votre vision !

w.w.w.com

w.w.w.com :
*une nouvelle ère de communication
qui se moque des frontières
pour révéler aux habitants de la Terre
qu'est venu le temps d'apprendre
à se parler « vraiment ».*

?

Je ne cherche pas de travail, j'en ai trois. À la suite des compressions dans l'entreprise, j'ai hérité d'une grosse partie du travail de deux personnes qui ont été mises à pied. Je me sens exploitée.

Vous vivez ce que plusieurs personnes vivent actuellement dans les entreprises. Si votre emploi vous tient à cœur, il vous faudra revoir l'organisation de votre travail afin de laisser tomber ce qui est de moindre importance. Vous ne pourrez certes pas conserver la même qualité de travail sans cette remise en question. La façon de placer vos priorités devra aussi être révisée. Dans le quotidien d'un emploi, il y a des choses urgentes et importantes qu'il faut savoir faire passer en premier, comme il en existe d'autres qui sont tout aussi importantes mais qui peuvent attendre. Faites une compilation de vos tâches et des objectifs que vous avez à atteindre en établissant des échéanciers réalistes pour chacun d'eux. Présentez cet exercice à votre responsable d'équipe afin d'en valider l'urgence et l'importance. Cette rencontre vous permettra à tous deux de mieux orienter le travail à réaliser, d'augmenter son efficacité et d'éviter que vous ne vous laissiez submerger par des émotions improductives. Dans une situation telle que la vôtre, il faut miser sur de saines communications en apprenant à respecter vos limites et à les faire valoir de façon constructive.

N'oubliez pas que vous êtes un fournisseur de services dans cette organisation et que votre responsable d'équipe est l'un de vos clients. Votre rôle, ensemble, est de répondre adéquatement aux besoins de cette entreprise qui aspire à bien servir sa clientèle. Pour que votre relation demeure satisfaisante de part et d'autre, pensez « affaires ». Si votre situation ne vous convient pas, qu'entendez-vous proposer à votre client pour vous assurer que vos services maintiennent leur niveau de qualité et d'efficacité ? Aucun client n'est intéressé à avoir moins que ce à quoi il est habitué. Or, si vous le sensibilisez aux risques de pertes d'efficacité et de rendement, il serait fort surprenant qu'il ne se sente pas préoccupé par ce problème. Enfin, il ne sert à rien de cultiver vos frustrations dans votre coin en espérant que quelqu'un se rende compte que vous avez trop de travail et s'attendrisse sur votre sort. Cette attitude ne vous attirera d'autres alliés que celles ou ceux qui vivent de pareilles frustrations. L'ère des communications ouvertes et authentiques est une réalité sur le marché du travail des années 2000, car on n'a plus le temps de perdre du temps. Si vous faites le choix de communiquer « vraiment », vous en sortirez gagnant parce que c'est sur la qualité de votre vie professionnelle que vous miserez.

?

Je n'ai pas beaucoup d'argent pour acheminer des C.V., ou plutôt des « offres de service » un peu partout. Les timbres, les enveloppes, ça coûte cher. Y a-t-il des moyens plus efficaces ?

Si vous vous référez à l'exemple de la stratégie de Laura, présenté au chapitre « S », vous comprendrez que la recherche d'emploi des années 2000 est fondée sur une attitude proactive à travers laquelle vous offrez vos services à un

marché ciblé qui réunit plusieurs clientes et clients potentiels. Le fait d'acheminer des offres de service aux quatre
coins de la ville est une pratique appartenant à une époque
désormais révolue.

De plus, personne n'a les moyens d'acheminer des centaines de documents un peu partout, au gré du hasard, en se
rabattant sur le service des ressources humaines des entreprises comme tant de gens l'ont fait par le passé. Même ce
service n'a plus les moyens de traiter les demandes qui lui
sont acheminées. Si trop de gens le font encore, c'est par
manque d'information et, surtout, faute de stratégie.

Rappelez-vous qu'avant d'acheminer tout document dans
une entreprise, vous devez d'abord avoir établi un contact
téléphonique. La phrase clé des contacts fructueux auprès
de vos clientes et clients potentiels est : « Je parle à la bonne
personne. » Ceci sous-entend qu'il est essentiel de parler avec
la personne qui prend les décisions dans l'entreprise ciblée
ou dans le service qui vous intéresse. Que vous ayez des
services à offrir (le stage fait partie des services que vous
offrez, si c'est le cas), un projet à soumettre, un sondage à
effectuer, la procédure est la même. Par exemple, vous offrez vos services à titre de technicien en gestion des approvisionnements. La bonne personne sera le directeur des achats
ou des approvisionnements, ou encore l'acheteur en chef.
Vous désirez offrir vos services dans un commerce de détail ? La bonne personne sera la gérante ou le gérant du commerce, ou encore son propriétaire.

La plupart des moyennes et grandes entreprises sont di-
visées en services. Parmi ceux-ci, on trouve, entre autres : le
service de la comptabilité, de la production, des achats, des
livraisons; les services techniques, le service d'entretien (mécanique ou électrique), le service à la clientèle, le service des
ventes et du marketing; la recherche et le développement.
Dans les petites entreprises, plusieurs responsabilités différentes peuvent être assumées par une même personne. Ainsi,
si vous leur destinez vos services, il convient de vous informer du nom du responsable de l'entreprise.

Si les personnes ne peuvent vous donner des réponses
satisfaisantes, tentez de savoir qui serait le plus apte à vous
fournir les renseignements dont vous avez besoin. Il faut
savoir que la plupart des gens s'adressent encore au service

des ressources humaines, lequel est débordé par de nombreux appels. À moins que vous ne songiez à y offrir vos services, il est fortement recommandé de procéder différemment. Il sera beaucoup plus efficace de consacrer vos énergies à parler à la bonne personne, c'est-à-dire à celle qui prend les décisions dans le secteur professionnel relié à vos services. Si vous pouvez offrir vos services dans plus d'un secteur, entrez en contact avec la bonne personne dans chacun de ces services.

S'il arrivait que la bonne personne vous dirige vers le service des ressources humaines, sans démontrer de l'intérêt face à vos services, ou traite votre offre avec indifférence, c'est probablement pour l'une ou l'autre des raisons « cachées » suivantes :

- il n'y a actuellement aucun besoin dans l'entreprise pour le type de service que vous avez à offrir;
- il pourrait y avoir un besoin, mais l'entreprise n'embauche personne pour le moment;
- la personne vers qui on vous a dirigé n'a pas de pouvoir décisionnel;
- l'entreprise est syndiquée et doit privilégier les personnes figurant sur les listes de rappel avant de s'intéresser à de nouvelles candidatures;
- la bonne personne vient tout juste de se faire amputer son budget de fonctionnement;
- l'entreprise ne prévoit actuellement aucun départ parmi les membres de son équipe;
- la bonne personne est en décision de quitter bientôt son propre poste;
- la bonne personne vit, ce jour-là, un moment difficile;
- votre approche téléphonique manque d'esprit d'entreprise.

Enfin, c'est donc avec la bonne personne que vous conviendrez de la pertinence d'acheminer votre offre de service. Si, dans cette entreprise, il y a un besoin qui correspond aux services que vous avez à offrir, il sera plus entreprenant d'acheminer votre offre de service par télécopieur. S'il vous en coûte quelque chose, vous pourrez considérer ceci comme un investissement qui risque de vous rapporter une entrevue, si vous assurez le suivi de votre envoi. S'il n'y a pas de débouchés dans l'immédiat, mais que l'on vous invite à acheminer votre offre de service, utilisez alors le courrier ou, si vous songez à passer par là, apportez-la vous-même. L'approche téléphonique vous fera économiser beaucoup d'argent et vous permettra d'avoir un très bon son de cloche quant aux besoins de vos clientes et clients potentiels. Ainsi, vous n'enverrez rien un peu partout, et votre efficacité s'en portera beaucoup mieux.

?

Pour moi, approcher les entreprises par téléphone est très difficile. Je ne sais pas quoi dire et ça me donne la trouille. Comment me préparer à des communications efficaces par téléphone, avec un maximum de confiance en moi ?

Le téléphone est un outil de communication rapide et efficace. Regardez autour de vous, au supermarché, à la banque, dans la rue. De nombreuses personnes sont au téléphone pendant qu'elles vaquent à leurs occupations. Que l'on soit pour ou contre la téléphonie cellulaire, il est clair qu'elle envahit nos rues et les espaces publics. Pendant que tout le monde se parle au téléphone un peu partout, aspire à se doter d'un cellulaire ou possède déjà un téléavertisseur, comment se fait-il qu'on puisse craindre encore autant cet outil de plastique ?

Plusieurs diront : « *Utiliser le téléphone dans un contexte de recherche d'emploi, c'est pas pareil !* » En quoi cela n'est-il pas pareil, puisqu'il s'agit, là aussi, de communiquer un message afin d'obtenir une réponse ou des informations ? La véritable crainte n'est pas le téléphone lui-même, n'est-ce pas ? Votre crainte, c'est le rejet. Vous ne voulez pas que l'on vous dise : « *Non, merci, nous n'avons pas besoin de vos services.* » Que l'on soit en contexte de recherche d'emploi ou non, personne n'aime se faire dire non. Or, balayez immédiatement de votre esprit la question du rejet. En tout temps, personne ne « vous » rejette parce que ce n'est pas de vous qu'il est véritablement question. Les personnes qui vous répondent : « Non, merci » vous signalent que vos services ne peuvent « actuellement » trouver preneur chez elles parce que leur équipe suffit « actuellement » à répondre aux besoins. Cette information est importante à votre recherche d'emploi, car elle vous signale qu'il est vain d'investir temps, énergie et actions envers ce client potentiel « actuellement ». Or, les besoins peuvent changer très rapidement. En prenant note des informations qui vous sont communiquées ainsi que le nom de la personne avec laquelle vous avez pris contact, vous pourrez, si besoin est, assurer un nouveau suivi plus tard.

Pour vous permettre de communiquer efficacement votre message au téléphone, il est suggéré de préparer un scénario d'approche téléphonique et de le pratiquer. Ceci vous permettra d'être en confiance et de découvrir votre façon personnelle d'entrer en contact avec vos clientes et clients potentiels. Lorsque vous aurez votre cliente ou client potentiel au bout du fil, que lui direz-vous ?

La préparation d'un petit scénario téléphonique s'avère pertinente afin d'assurer une promotion efficace de vos services. Voici une préparation en trois temps :

1 Dites votre nom, précisez dans quel cadre vous vous adressez à cette personne;

2 Soulignez ce que vous avez à offrir;

3 Demandez si de tels services peuvent répondre à des besoins actuels ou potentiels dans son service.

Voici un exemple.

1 *« Bonjour, monsieur Sauvé, je m'appelle Sonia Leblanc. Je suis finissante en contrôle de la qualité et j'offre actuellement mes services dans le cadre d'un stage à titre de technicienne à la réalisation d'essais non destructifs. »*

2 *« Je possède un diplôme d'études collégiales en techniques de métallurgie ainsi que six mois d'expérience dans le domaine de l'environnement. »*

3 *«Une telle offre pourrait-elle vous intéresser ?»*

Notez les éléments clés de votre scénario téléphonique sur une feuille et évitez d'écrire un texte complet que vous auriez envie de lire.

Avec l'aide d'une ou de plusieurs personnes de votre entourage, simulez votre appel téléphonique. Recevez les commentaires ou les suggestions et reprenez la simulation jusqu'à ce que vous vous sentiez satisfait de votre présentation. Vous pouvez aussi utiliser un magnétophone pour vous enregistrer. Votre ton de voix vous en dira long ! Écoutez votre scénario téléphonique de façon critique, comme si vous étiez une cliente ou un client potentiel.

Selon les commentaires de l'interlocuteur, terminez en proposant une rencontre dans laquelle vous pourrez remettre votre offre de service ou, du moins, proposer un envoi après avoir vérifié les coordonnées de la cliente ou du client potentiel.

N'oubliez jamais de rappeler chaque personne à qui vous acheminez une offre de service, au maximum quelques jours après un envoi postal ou le lendemain s'il s'agit d'un envoi par télécopieur. Ce suivi a pour but de recueillir leurs commentaires à l'égard de votre offre de service, de répondre à quelques éclaircissements, s'il y a lieu, ou de vous assurer que cette personne a pris connaissance de votre offre.

Gardez vos suivis actifs ! Ne laissez pas de message, à moins que vous n'ayez déjà établi un premier contact avec cette personne. N'attendez pas que l'on vous rappelle. Ces gens sont d'abord occupés à répondre aux besoins de leurs clients. Vous n'êtes pas leur client. Ce sont eux... vos clientes et clients potentiels !

xénophilie

La xénophilie est une ouverture d'esprit
envers ce qui est étranger.
Ouverts nous sommes devenus,
habitants du monde entier
sous la « mondialité ».

?

Depuis que j'ai entrepris mes appels téléphoniques auprès de mes clientes et clients potentiels, je suis très surpris de constater qu'il y a parmi ces personnes un bon nombre d'allophones. Est-ce normal ?

Je ne suis pas certaine de bien comprendre toute la portée de votre question, mais ce que je puis répondre, c'est qu'une personne de nationalité roumaine remarque à son tour qu'il y a pas mal de personnes québécoises qui circulent autour d'elle, tandis que la population vietnamienne se dit qu'il y a un bon nombre de Grecs qui font ceci ou cela, lesquelles personnes trouvent à leur tour... autre chose.

Probablement venez-vous de remarquer qu'on peut faire le tour de la planète en restant au Québec. Grand bien vous fasse, puisque ce voyage peut permettre à quiconque de se poser la question : « Avons-nous peur de ce qui nous semble étranger, différent ? » La xénophilie est une ouverture d'esprit envers ce qui est étranger. La xénophobie est son contraire. Or, si nous nous rangeons du côté des xénophobes, toutes nationalités confondues, nous trouverons le voyage professionnel difficile à vivre.

En effet, j'ai déjà souligné que les entreprises des années 2000 souhaitent se prévaloir des services de personnes ouvertes d'esprit, capables de s'adapter au changement et qui savent faire preuve de souplesse.Et ce n'est pas par démocratie, politesse ou bienséance, ou encore en raison de la Charte des droits et libertés. Les entreprises nous invitent tous, quelles que soient nos origines, à opter pour la xénophilie parce que nous sommes, chaque jour, en contact avec le monde entier. Qu'il s'agisse d'exporter nos produits et nos services sur d'autres continents, de négocier des ententes commerciales dans plus d'un pays ou d'occuper des parts de marché à l'étranger, il est vital d'ouvrir nos horizons. Pendant ce temps, de nombreux pays font de même avec nous, en visant les mêmes objectifs.

La nouvelle économie fait fi des différences et des frontières, pour la simple raison que les entrepreneurs d'ici veulent être dans la course de la mondialisation et aspirent à développer des échanges économiques profitables. Les autres continents font de même. Ils se tournent, eux aussi, vers nous pour établir des ententes avantageuses. Ce faisant, le marché du travail d'ici devient xénophile parce qu'il s'enrichit des connaissances culturelles qui lui font défaut et qui sont nécessaires aux entreprises pour mieux transiger avec différentes cultures sur le plan international. Ainsi, la connaissance des autres cultures devient un atout, au même titre que la connaissance de nouvelles langues.

Dans la foulée des communications instantanées dans le monde, par satellites, nous devenons tous les habitants d'une même sphère. Qui plus est, le marché du travail, partout dans le monde, s'est délocalisé, dénationalisé. Il permet aujourd'hui à de nombreuses personnes de mettre leurs services à profit dans plus d'un pays. Pour certaines, c'est un choix délibéré; pour d'autres, c'est un choix qui s'est imposé. Des millions de personnes travaillent aujourd'hui dans des régions ou des pays qui ne les ont pas vues naître. Vous demandez si cela est « normal » ? Ce n'est peut-être pas la norme, mais c'est assurément une réalité tout à fait palpable.

Yyoyoter de la touffe

Yyoyoter de la touffe
est une expression qui signifie «perdre le nord».

Nous sommes jeunes, sans grande expérience sur le marché du travail. Nous nous préparons à intégrer le monde du travail d'ici quelques années. Nous espérons y trouver quelque chose qui soit à notre mesure. Si nous ne savons pas tous encore ce que nous voulons, il est une chose que nous sommes plusieurs à ne pas vouloir. C'est de faire comme nos parents : courir comme des fous et répéter sans cesse que le monde du travail est un monde de fous.

Le monde du travail des années 2000, bien qu'il soit stimulant, n'empêchera personne de perdre le nord, par moments. Très peu de gens ont le courage d'arrêter leur course folle contre la montre pour revoir les motifs fondamentaux qui les conditionnent à agir. La vitesse des changements, l'adaptation continue, le niveau accru des exigences et la multiplicité des compétences qu'une personne doit déployer pour demeurer compétitive face à la concurrence créent inévitablement des tensions face auxquelles nous sommes bien inégalement préparés. Croyant devoir mettre les bouchées doubles afin de répondre et de composer avec les multiples pressions d'un environnement fébrile, bien des gens arrivent un jour ou l'autre à se dire : devrons-nous courir comme ça toute notre vie ? Or, ce n'est pas toujours le fait de courir qui est à la base du véritable problème. Lorsqu'une personne dit qu'elle court comme une folle ou qu'elle se sent vivre dans un monde de fous, c'est plutôt qu'elle ne voit plus le « sens » de cette course affolée. Il est facile de perdre le nord, de perdre le sens de sa vie et de ses gestes lorsqu'on s'est coupé de sa propre réalité, de son projet de vie véritable.

Au cours de sa vie professionnelle à titre de commis dans une institution financière, Paul Gauguin a tout balancé pour aller s'installer en Polynésie afin de consacrer sa vie à la peinture. Avait-il perdu le nord ou était-ce là l'ultime geste lui permettant de faire place à un projet véritable, un projet porteur de sens ? Il est à prévoir que les Gauguin des années 1800 se multiplieront dans les années 2000. Ils ne balanceront peut-être pas tout derrière eux, mais il y a fort à parier que plusieurs personnes vont yoyoter de la touffe pour mieux se rapprocher de leurs motivations véritables, de ce qui a un peu plus de sens à leurs yeux.

Les jeunes d'aujourd'hui qui ont pris le temps d'observer ou de réfléchir sur le comportement et les attitudes de leurs aînés face au monde du travail, préparent sans le savoir la définition du travail des années 2000 ainsi que l'ébauche d'un nouveau cadre de référence à l'égard de la vie professionnelle. Si, pour certains jeunes, les malaises et les nombreuses préoccupations des adultes à l'égard de leur carrière font figure de démotivation face à leur propre avenir, cela devient chez de nombreux autres une riche source d'information dans laquelle puiser pour repenser, créer un monde du travail davantage calqué sur ce qu'ils veulent ou ce qu'ils sont. Le moment est certes très propice pour le faire : les références d'hier ont disparu et les nouvelles sont toujours à venir, à bâtir. Je suis très optimiste lorsque j'entends les jeunes rejeter des valeurs auxquelles ils ne s'associent pas. Plusieurs entreprises ont aussi compris que les jeunes aspirent à autre chose qu'un monde en troisième vitesse, notamment celles qui gravitent dans le monde de l'informatique et qui aspirent retenir, dans leurs rangs, ces jeunes « cracks » des technologies de l'information. Dans plusieurs de ces entreprises, le cadre de travail offre des conditions et des avantages qui ressemblent aux jeunes et qui leur permettent de donner leur meilleur d'eux-mêmes en restant toutefois branchés sur la vie, de sorte qu'ils en conservent tout le sens.

Ce genre d'entreprises n'est pas encore légion, mais elles le deviendront, car les jeunes savent qu'il est possible de bien faire les choses et de s'engager à fond dans un projet qui leur est significatif... sans pour cela perdre le nord.

?

Plusieurs professionnels, comme moi, décrochent sans trop savoir ce qui se passe. Il arrive un moment où tout se brouille, et s'installe alors le sentiment de ne plus être à la hauteur, de devenir incompétent.

Il y a actuellement autant de personnes qui sont malheureuses au travail que de personnes qui aspirent à créer leur place sur le marché du travail. Cette situation semble très paradoxale, mais elle ne l'est pas. Si le travail semble souffrir de névrose, c'est que nous ne pouvons plus vivre l'expérience du travail en fonction des règles qui régissaient le marché du travail du XIXᵉ siècle. Pour ceux qui travaillent, l'expérience du travail relève de l'art, un art tortueux qui relève de la haute voltige. Dans plusieurs milieux, nous assistons à l'art d'échapper aux restrictions budgétaires, à l'art de dépasser le louable syndrome du survivant ou à l'art de faire comme si nous vivions encore. Dans un contexte pareil, le travail n'existe plus. Nous le déguisons plutôt, nous lui faisons porter des mérites qu'il n'a pas ou qui ne lui ressemblent pas. Nous faisons du travail l'assassin mondain de sa valeur et de son essence. Lorsque nous ne savons plus pourquoi nous faisons les choses et à quelles fins elles le sont, c'est que le sens du travail n'est plus. Certains diront : « *Mon travail en souffre.* » Oui, le travail souffre, et sa souffrance est de ne plus être.

Nous avons accordé au travail une très grande valeur dans nos vies, car effectivement il en a une. Sans doute cette valeur a-t-elle, avec la fin de l'ère industrielle, dévié de sens et englouti nos vies dans une course si rapide que nous avons oublié en cours de route de nous poser quelques questions fondamentales : Où vais-je ? Pour quoi et pour qui je vais ?

Quel sens a ma vie professionnelle ? Suis-je là où je souhaite vraiment être ?

Les différentes formes de fractures à l'âme profession-nelle surgissent quand celle-ci n'en peut plus de faire sem-blant ou lorsqu'elle est si surchargée qu'elle se met à perdre le nord de son côté, ne sachant plus très bien comment retrouver son hôte et se rebrancher à lui. L'âme profession-nelle est ce que nous avons de plus précieux pour cheminer sur la route des années 2000. Lorsque nous sommes incapa-bles d'arrêter, d'équilibrer les différentes dimensions de notre vie, de renoncer à ce qui ne nous convient pas ou de réviser nos choix, c'est elle qui prend la relève et qui décide. C'est une compagne précieuse, même si ses décisions sont parfois douloureuses à vivre. Rappelons-nous que l'être humain est un tout complexe. Lorsque nos croyances, nos valeurs, nos limites et nos aspirations entrent en conflit, c'est tout notre être qui bascule. Nous ne sommes pas une chaîne de production certifiée ISO 9000. Et c'est tant mieux !

Nous sommes dotés d'un esprit subtil et raffiné qui puise la nourriture dont il a besoin à partir de trois composantes : la signification, l'orientation et la cohérence. La première fait référence à la façon dont je conçois ou perçois mon tra-vail, autrement dit les valeurs que je lui attribue. La deuxième suppose un projet, un dessein, une intention qui dirige mes actions : Qu'est-ce que je fais? Vers quoi je vais? Quels sont mes objectifs? Qu'est-ce que je poursuis ? La dernière pose un regard sur les deux premières et évalue le degré de cohé-rence de mon travail en rapport avec ce qu'il signifie pour moi et la façon dont je l'oriente dans le quotidien. Le tout nous convie par la suite à réviser nos choix ou nos priorités et à entreprendre une démarche transparente face à ce que nous sommes et désirons vraiment vivre. S'il vous arrivait de ne plus très bien savoir ce qui se passe et de vouloir tout foutre en l'air, rappelez-vous qu'une partie de vous travaille rondement avec vous, en toute complicité.

Même si perdre le nord peut s'avérer tout à fait sain, pour-quoi ne pas prendre le temps de faire le tour de son jardin professionnel et désherber ce qui empêche vos plus belles fleurs de s'épanouir ! En devenant un peu plus conscient de ce que nous sommes et de l'environnement qui nous en-toure, nous pourrons certes reprendre possession de ce que nous sommes vraiment et du sens véritable que nous souhaitons retrouver au travail.

Si vous ne savez plus très bien où vous en êtes, si vous commencez à douter de votre compétence, si vous avez le goût de tout foutre en l'air, dites-vous dès maintenant que vous êtes sur la voie de préparer ce plan de match qui vous fera devenir beaucoup plus efficace qu'avant. Profitez de cette période de doute et de remise en question pour vous rapprocher des motivations fondamentales à l'égard de votre vie professionnelle. Il y a fort à parier que ce n'est pas pour le décrochage que vous opterez, mais plutôt pour une vie professionnelle beaucoup plus en accord avec ce que vous êtes vraiment.

?

Je vise à retourner au travail dans mon domaine, mais je me sens démotivée juste à la pensée de reprendre ailleurs le travail que j'effectuais avant la fermeture de l'entreprise où je travaillais. Je sais que la motivation est une clé lorsqu'on vise à travailler, mais je semble en être dépourvue. Je ne sais plus où j'en suis.

Il est tout à fait normal de vivre des périodes où l'on remet en question son travail, ne serait-ce que pour en retrouver la valeur ou le sens. Si votre motivation n'est plus, commencez par en découvrir la cause. Faites le bilan de vos compétences en examinant ce que vous aimez et ce que vous n'aimez plus. Situez vos forces et vos faiblesses. Découvrez vos centres d'intérêt, ce qui vous stimule à passer à l'action, revoyez vos rêves ! Autrement dit, investissez du temps à mieux regarder qui vous êtes et le chemin que vous avez parcouru professionnellement. Peut-être découvrirez-vous que c'est l'environnement de travail ou le cadre dans lequel vous réalisiez celui-ci que vous ne voulez plus retrouver. En effet, chaque entreprise a sa culture, ses pratiques, ses façons de penser et de faire le travail. N'oubliez pas que l'expérience que vous possédez dans un domaine est une fondation professionnelle précieuse. Il faut éviter de vouloir trop vite la mettre de côté. La richesse de votre réflexion saura certes vous révéler des pistes menant à votre motivation. Si vous ne savez plus par où commencer, voici cinq thèmes pour guider votre réflexion :

1 L'examen des expériences vécues

Quels événements du passé m'ont le plus marqué positivement ou négativement ? Quelles crises personnelles, professionnelles ou familiales ai-je traversées ? Comment les ai-je surmontées ? Quelles ont été les personnes qui m'ont le plus influencé, positivement ou négativement ? Quel est le résultat de cette influence sur moi, aujourd'hui ? Quelles expériences personnelles, professionnelles ou sociales referais-je avec plaisir ? Quelles sont celles qui sont choses du passé, terminées ?

2 L'analyse de mes forces et de mes limites

Quelles sont, parmi mes activités professionnelles, personnelles et sociales, celles qui me procurent le plus de satisfaction, le plus d'insatisfaction, d'angoisse ? Quels succès ou quelles réalisations ai-je accomplis ? Dans quoi ai-je échoué ? Qu'est-ce qui me motive ? Quels sont les sujets qui me passionnent ? Quels sont les produits que j'achète et pour lesquels j'aime me documenter, m'informer, comparer ? À quoi est-ce que je consacre du temps sans avoir le sentiment d'en perdre ? Qu'est-ce qui, pour moi, est synonyme de perte de temps ? En dessinant un cercle que je divise ensuite en quatre cadrans, je nomme les dimensions les plus importantes de ma vie. Je répartis ensuite, pour un total de 100 %, le pourcentage d'intérêt que j'accorde à chacune de ces dimensions. Puis, je réfléchis à ce que chacune de ces dimensions représente pour moi en fonction de mes valeurs.

3 Les relations avec les gens

Que disent de moi ceux qui me connaissent bien ? Pour quelles raisons les gens me consultent-ils ? Qu'est-ce que j'apporte aux autres ? Avec quel type de personnes est-ce que je me sens le plus moi-même ? Avec quelles personnes ai-je de la difficulté à établir des relations ?

4 Les essais et les risques calculés

Que pourrais-je sacrifier pour atteindre mes objectifs ? Dans quel type d'activités suis-je à l'aise pour prendre des initiatives, pour faire des essais ? Quelles sont les questions auxquelles j'aspire à trouver des réponses ? Quel type de projet pourrait nourrir mon attention pour un bon laps de temps ?

5 De la fiction à la vision

Quel est mon rêve ? Dépend-il de moi ? Qu'est-ce qui m'empêche d'y aspirer ? Quelle vision ai-je de moi-même, de mon rôle dans la société ? À quoi ou à qui suis-je utile dans ce rôle ? Quelle saveur ai-je l'intention de donner à ma vie ?

Vous pouvez, bien sûr, modifier les questions ou en ajouter de nouvelles. L'important est que vous puissiez avoir le sentiment d'avoir réalisé un voyage d'exploration en vous-même. Repérez ensuite les endroits où vos réponses vous ont paru les plus significatives. Vous devriez trouver là de précieux éléments de réponses.

?

Sur quoi me faut-il miser pour garder le cap sur ma recherche d'emploi, pour ne pas m'égarer inutilement ou... perdre le nord ?

Si vous ne l'avez pas encore lu en parcourant cet ouvrage, je répondrai très simplement en disant : « Pour garder le cap tout au long de l'activité de recherche d'emploi, vous avez besoin d'un projet. » Un projet qui a du sens à vos yeux, qui mobilise vos meilleures ressources en vous donnant le goût d'entreprendre. Rechercher un emploi, c'est chercher un ré-sultat. Pour qu'il y ait résultat, il doit y avoir un projet, sinon comment pourrez-vous diriger efficacement vos actions dans les innombrables fourmilières que constituent les niches de marché ?

Votre projet est clair, vous aspirez à offrir vos services à titre de technicien en génie électrique. Confrontez maintenant votre projet aux neuf étapes d'un projet viable (voir le chapitre « P »). Si des éléments vous manquent, lisez comment cibler votre marché au chapitre « C ». Voyez ensuite votre stratégie de mise en marché expliquée au chapitre « S ».

La réalisation de ces étapes vous permettra de garder le cap, à moins, bien sûr, que votre voyage éclaté dans les chapitres de ce livre vous ait quelque peu déboussolé ! Allez-y à votre rythme : un projet porteur de sens ne saurait prendre forme dans l'incohérence.

z zapper

*Qu'il est bon d'avoir la liberté de changer de trottoir
pour éviter, au passage, ce que l'on ne veut pas voir.
C'est parfois presque aussi enivrant
que de savoir remettre à autrui
ce qui n'appartient qu'à lui !*

?

Dans mon dernier emploi, j'ai rencontré un « requin ». Vous savez, une personne qui s'approprie les bons coups des autres pour construire sa crédibilité. Je suis ce qu'on appelle un « techno crack » et j'apprends qu'il faut me méfier. J'ai quitté mon emploi, car je ne peux supporter de travailler au sein d'une équipe où un tel personnage existe. Est-ce que je devrai consacrer ma vie professionnelle à surveiller mes arrières ?

Il est vrai qu'on a toujours la liberté de changer de trottoir pour éviter de croiser quelqu'un au passage. Cette pratique va très bien jusqu'au jour où un événement fortuit nous contraigne à devoir nous retrouver face à face avec cette personne ou ce genre de personne que l'on ne veut pas voir, afin de négocier les termes d'un projet dont nous avons la responsabilité de conclure au mieux.

Zapper est chose facile. On appuie sur la télécommande, et puis voilà, il y a une autre image, le décor change, mais on n'est pas davantage certain de ce qu'on trouvera sur les autres chaînes. Plus on zappe, plus on se rend compte qu'il y a une chose présente sur toutes les chaînes : les annonces publicitaires. On aura beau zapper tant qu'on veut, ou fermer le poste de télévision, elles continueront d'exister.

Dans toute entreprise que vous croiserez tout au long de votre vie professionnelle, il y aura des publicités que vous ne voudrez pas voir. Vous ne pouvez les éviter. Elles sont là. Le monde du travail n'est pas un monde parfait. Il y a des gens qu'il vaut mieux apprendre à connaître afin de savoir quels comportements ou quelles attitudes adopter avec eux, car à coup sûr, c'est vous qui perdez en changeant de trottoir !

Vous devez donc apprendre à composer avec ces personnes en évitant, bien sûr, de leur servir d'appât. Puisque le fait de vous retirer de l'entreprise ne changera rien à leur comportement et ne fera que nuire à votre situation, vous avez tout avantage à devenir... un dauphin !

Nous prêtons aux dauphins de grandes qualités. Outre leur intelligence et leurs ruses (souvent fatales aux requins), leur plus grande qualité, selon moi, est de penser d'une façon constructive et créative. Quand ils n'obtiennent pas ce qu'ils veulent, ils modifient leur comportement, souvent de façon ingénieuse, pour atteindre leur but. Ainsi, pour évoluer positivement dans l'entreprise, comme sur le marché du travail, la capacité d'adaptation et la créativité deviennent des cartes maîtresses, que l'on ait à composer avec un requin ou pas.

Les dauphins, considérés comme des mammifères sympathiques, ne s'en laissent pas imposer et vivent très bien dans un environnement rude. Ils restent vigilants, analysent les courants, recherchent des indices et surveillent l'évolution de la situation. Ils nagent dans n'importe quel océan, flottent dans n'importe quel courant, plongent dans n'importe quel bassin. Ils agissent bien en groupe et fonctionnent avec compétence lorsqu'ils sont seuls. Quand quelque chose ne va pas, ils poursuivent autre chose, quelque chose qui marche. Et, comme nous le savons, ils ne se privent d'aucune stratégie pour remettre à leur place un requin rôdeur.

Dans l'entreprise, le dauphin considère chaque situation dans son ensemble, même s'il peut concentrer son attention sur le plus infime détail. Il n'hésite pas à user de représailles si la situation l'exige, mais cela ne sera jamais à son détriment. Il sait toutefois pardonner parce qu'il est conscient qu'une rancune finit par être insupportable et risque de devenir un obstacle au travail d'une équipe dans un univers professionnel créateur et en changement rapide. Enfin, les dauphins font de remarquables leaders lorsqu'ils mettent à profit leur esprit tactique et leurs aptitudes créatrices, de sorte que tout requin se trouve inévitablement dans une position de déséquilibre et de désavantage.

Ainsi, la prochaine fois que vous ferez la rencontre d'un requin dans votre environnement professionnel, concentrez-vous sur votre rôle dans cette entreprise et, comme tout bon dauphin qui veille à la préservation de son espèce en faisant preuve de stratégie, gardez un œil vigilant... sur la situation !

?

Je sais que je suis pleine de ressources. J'ai une bonne formation et beaucoup de potentiel, mais je me laisse abattre par une multitude de sentiments de défaite et j'ai bien peur que cela nuise à ma recherche d'emploi. Qu'est-ce que je peux faire ?

Que faites-vous lorsque vous écoutez une émission de télévision vide d'intérêt ? Vous zappez ! C'est à peu près la même chose qu'il s'agit de faire avec les messages négatifs véhiculés par notre écran de télévision mental, sauf que nous devons d'abord être conscients que ces messages sont vides d'intérêt. Le fait de leur accorder la moindre importance vous place en situation de faiblesse. Que ces messages soient vrais ou pas, le fait est qu'en leur laissant le terrain libre, on finit par leur donner raison. De plus, lorsqu'on affirme avoir peur de perdre le contrôle face à une situation, c'est qu'on l'a déjà perdu !

Nous savons tous qu'il ne sert à rien de se critiquer continuellement ou de cultiver des pensées négatives. Mais le seul fait de dire : « *Oui, je sais, je dois penser positivement !* » ne suffit pas à faire disparaître ces prédateurs de réussite.

Nous ne sommes pas ce que nous ressentons. Il y a donc, d'un côté, nos pensées et, de l'autre, nous. Nous sommes les maîtres de nos pensées. À ce titre, il importe d'examiner nos pensées avec détachement, tel un observateur impartial, afin de juger avec discernement de leur pertinence.

Vous savez que vous avez des compétences, mais vous éprouvez autre chose. Ceci est ce qu'on appelle un conflit. Tant que le conflit n'est pas résolu, il est difficile d'aller de l'avant pour réaliser ce qui nous tient à cœur. Dans votre cas, est-ce que ce sont vos sentiments négatifs qui nuisent à votre capacité d'entreprendre votre recherche d'emploi ou n'est-ce pas plutôt ce conflit qui perdure entre deux parties de vous-même qui s'affrontent ?

Dans l'équation ($+4 \times -4 = -16$), malgré la présence d'un nombre positif, la réponse aura une valeur négative. C'est ce qui se produit lorsque vous savez que vous êtes compétente, mais que vous ressentez le contraire. Toutefois, le fait de multiplier deux valeurs négatives engendre un résultat positif, par exemple ($-4 \times -4 = 16$). Ainsi, en devenant un observateur impartial, conscient du conflit qui existe entre deux parties de vous-même, vous vous détachez des conséquences négatives parce que vous accordez une valeur égale à chacune de ces parties. Ce que vous pensez de vous est une chose, ce que vous ressentez par rapport à vous en est une autre. Ces deux valeurs coexistent, sont présentes en vous-même, s'équivalent en quelque sorte. Or, la question n'est pas de choisir entre l'une d'elles ni de juger l'une d'elles au détriment de l'autre, car cela se fera d'emblée lorsque vous aurez dépassé le conflit. En effet, le fait de sortir du terrain conflictuel, de conserver votre rôle d'observateur impartial face à cette situation et de vous poser la question : « Est-ce cela dont j'ai besoin pour entreprendre ma recherche d'emploi ? » vous permettra de mettre en lumière ce que vous voulez et de confiner à la pénombre ce que vous ne voulez pas.

Une personne me disait un jour : « *Vous savez les gros cartons à chapeaux que nos mères rangeaient sur la plus haute tablette d'un placard ? J'en ai un ! Sauf qu'il ne sert pas à remiser mes chapeaux, mais à ranger la somme des pensées inutiles qui osent, de temps à autre, envahir mon esprit !* »

À la manière de cette personne, je vous encourage à trouver votre propre « carton à chapeaux » dans lequel vous pourrez ranger toutes ces pensées vagabondes qui nuisent à votre capacité d'entreprendre.

bibliographie

BEAULIEU, Georges et LAROCHELLE, Wilfrid. *ICARO, le répertoire des sites Internet en carrières et en orientation*, Sainte-Foy, Septembre Média, 1999.

BEAULIEU, Christiane. Banque de développement du Canada, Affaires publiques, www.newswire.ca/releases/December 1997/16/c3903.html

BETCHERMAN, Gordon. *Les réseaux canadiens de recherche en politiques publiques, Fiche documentaire : La formation et la nouvelle économie*, http://www.cprn.com/rcrpp.html

CALVÉ, Julie, «Le mentor, indispensable ?», *Affaires Plus*, août 1999.

CARDINAL, Lise et TREMBLAY, Johanne. *Comment bâtir un réseau de contacts solide*, Montréal, Les Éditions Transcontinental et les Éditions de la Fondation de l'entrepreneurship, 1998.

DIONNE, Sylvie. *L'agent de projet et son marché*, Terrebonne, Cahier de formation, Éditions Parachute Carrière, 1998.

DIONNE, Sylvie. *Le travail en mal d'emploi : regagner sa vie par l'esprit d'entreprise*, Sainte-Foy, Éditions Septembre, 1997.

DUBÉ, Annette et MERCURE, Daniel. *Les entreprises et l'emploi : les nouvelles formes de qualification du travail*, Les Publications du Québec, 1997.

DUDLEY, Lynch et KORDIS, Paul L. *La stratégie du dauphin*, Montréal, Les Éditions de l'Homme, 1994.

FINLEY, Guy. *Lâcher prise : la clé de la transformation intérieure*, Montréal, Le Jour, éditeur, 1993.

FORTIN, Paul-Arthur. *Devenez entrepreneur*, Sainte-Foy et Montréal, Les Presses de l'Université Laval et Publications Transcontinental, 2e édition, 1992.

GAGNÉ, Pierrette. «Maîtriser sa destinée professionnelle», *Affaires Plus*, octobre 1999.

JACQUARD, Albert. *Petite philosophie à l'usage des non-philosophes*, Paris, Québec Livres, 1997.

LACERTE, Pierre. «La carrière sans nuages», *Affaires Plus*, novembre 1998.

MATTE, Denis, BALDINO, Domenico et COURCHESNE, Réjean. «L'évolution de l'emploi atypique au Québec», *Le marché du travail*, Les Publications du Québec, mai 1998, vol. 19, nᵒ 5.

MINISTÈRE DE l'INDUSTRIE, DU COMMERCE, DE LA SCIENCE ET DE LA TECHNOLOGIE, *L'économie du savoir 1984-1997*, Direction générale de l'analyse économique, novembre 1998.

QUINTY, Marie. «1994-1997 Les Québécois, l'argent et la carrière : nous avons changé !», *Affaires Plus*, octobre 1999.

REEVES, Hubert. *Oiseaux, merveilleux oiseaux : les dialogues du ciel et de la vie*, Paris, Éditions du Seuil, 1998.

SIROIS, Charles. *Passage obligé*, Montréal, Les Éditions de l'Homme, 1999.

table des matières

Achevé d'imprimer en avril 2000
sur les presses de l'Imprimerie Quebecor,
L'Éclaireur, Beauceville